Y0-AAK-726

미주동포 살인수가 고백한 생사를 넘나든 미국감옥체험수기

죽이면 죽어라

죽이면 죽어라

글쓴이 Eddy Lee
펴낸이 이영훈
펴낸곳 도서출판광야
등록 제 4-367호 1999년 7월 15일
초판발행 2006년 12월 10일
주소 서울시 성동구 옥수1동 538-15
ISBN 89-90124-44-1 03010
가격 12,000원 | US $15.00
총판 하늘유통 (031)947-7777

Kwangya 도서출판광야 (미주본사)
PO Box 5385 Hacienda Heights, CA 91745 U.S.A
Tel (626)333-0485 | **Fax** (626)333-0407
Web www.kymm.co.kr
E-mail kwangyamag@hanmail.net

미주동포 살인수가 고백한 생사를 넘나든 미국감옥체험수기

죽이면 죽어라

광야

| 책머리에 |

"제발 인간답게 살자"고 외치고 싶다

나는 십여 년 전에 사람을 죽인 살인자이다. 그래서 미국교도소에서 생사를 넘나들며 온갖 고생을 감내한 경험이 있는 사람이다. 그간 많은 세월이 흘렀건만 지금도 나는 가끔 그때의 몸서리치는 공포의 순간들을 꿈꾸곤 한다. 아마 이런 끔찍한 꿈을 죽을 때까지 꾸어야 할지도 모른다. 오랜 세월이 흘렀어도 아직도 그런 악몽에 시달리는 것은 내 지은 죄가 그만큼 충격과 상처가 크기 때문이리라.

그런데도 새삼스레 아프고 악몽같은 과거를 들춰내 쓰린 추억을 되살려가며 이 글을 쓰는 것은 법과 도덕적인 공소시효가 지났기 때문도 아니고, 글재주가 뛰어나기 때문도 아니다. 60평생을 살면서 사실 나는 문학의 '문' 자도 모르는 사람이다. 다만 나와 같은 잘못을 저지르며 죄의식도 없이 살고 있는 철부지 인생들에게 뭔가 뼈가 되는 메시지를 전해야겠다는 신념이 계속 나를 흔들고 있기 때문이다. 그래서 밤잠을 설치고 심장 멈추는 고통을 누르면서도 과거의 나의 험한 인생역정을 한 권의 책으로 묶는 것이다.

이제 나이 들어 머리털도 허옇게 변했고 그만큼 인생연륜도 쌓였으니 행복이 무엇인지, 인생이 무엇인지, 사람으로 태어나 어떻게 살다 어떻게 생을 마감해야 하는지 그 척도와 가치도 변했고, 따라서 나의 삶의 목적 또한 변했다.

되돌아보면 이민 30년! 확실한 기반과 생활의 안정, 건강한 처자식, 뭐하나 남부러울 게 없었건만 술, 담배, 노름, 여자… 망가지고 흐트러진 나의 타락과 방탕생활은 너무나 오랫동안 제자리를 찾질 못했다. 결국 의사로부터 2-3년밖에 살수 없다는 사형선고를 받았고, 재산을 탕진하고, 가정이 풍비박산이 나고, 급기야 살인까지 범한 나는 더 이상 떨어질 데도 없는 지옥 끝에 다다르고 말았다.

이제는 자기 멋에 겨워 최고의 멋을 부리며 좋은 차에 외도를 하며 옷 자랑, 돈 자랑으로 쓸데없이 허송세월을 하는 사람들을 만날 때면 한심해서 구역질이 난다. 아마 그들도 머잖아 발등을 치며 후회할 때가 오련만 지금 그들은 행복하다, 만족하다, 후회 없다, 잘 나간다, 하며 얼마나 착각하고 있을지…. 누덕누덕 기워 놓은 나의 과거의 삶을 보는 듯하여 가슴이 아프다.

건전하지 못한 모임 후에 오는 공허함! 그건 경험해 본 사람은 이미 다 알고 있을 것이다. 물론 그 당시는 신나는 모임으로 착각하지만.

'으음, 누군 멋있던데, 누구는 잘 살아, 누구 남편은 화끈하게 기분파야, 그 여자는 멋있어, 섹시해!' 머리 속에 꽉 차있는 이런 생각들은 인간의 본능이라 정도가 지나치면 가정이 파탄되고 자녀들은 방황하게 되고 범죄의 씨앗이 되는 것이다.

그러나 건전한 모임 후에는 그날 들었던 말씀, 그날 있었던 봉사의 땀방울, 그날 보았던 아름다운 눈동자가 꿈속에서도 나타나게 되어있다. 그리고 그것들은 나도 모르는 사이에 내 삶에 밑거름이 되어 나를 일으켜 세우고 나를 지탱시켜준다. 그래서 어떤 어려움이 닥쳐도 넘어지지 않게 해주는 것이다.

석방 후 나는 거의 많은 시간을 가정에서 보내며 사업과 함께 건전한 취미생활을 하며 소일하고 있다. 미국에서는 작은 돈으로도 얼마든지 건전한 취미생활을 할 수 있기 때문이다. 나의 경험으로 놀라운 것은 가정에 취미를 붙이면 할 일이 너무 많고 오히려 시간이 모자란다는 것이다. 그리고 신앙생활, 취미생활, 가정속에서 행복을 찾는 생활을 하다보면 밖으로 나돌 시간도, 마음도 없어지게 되는 것이다.

인간의 본능은 남의 집 잔디가 내 집 잔디보다 아름답고 파랗게 보인다. 그래서 눈이 바로 뜨이면 내 집 가꾸고, 내 식구 챙기고, 내 이웃 돌보고, 내가 속한 일터에 충실하게 되는 법이다. 물론 자기 자신이 서 있을 곳에 정확히 서 있어야할 것은 당연한 일이고, 자신과 모두를 위해 건전하게 살아가는 건 나를 위함만이 아니라 한 인간에게 주어진 신이 내리신 섭리이며 사명이라는 것도 알게 된다.

다시 말하지만, 60이 넘은 나이에 부끄럼을 무릅쓰고 내 아픈 과거의 치부를 만천하에 드러내는 것은 한 인간으로 태어나 "제발 인간답게 살자"고 사람들에게 외치고 싶어서이다. 성공을 향해 달려가는 것도 좋지만 그에 앞서 먼저 '사람'이 되자고 외치고 싶은 것이다. 그러기 위해서 남자의 역할, 가장의 역할, 아버지의 역할, 남편의 역할을 제대로 하자는 것이다. 그리고 이건 천만번 말해도 넘치지 않는 말이라는 걸 이제야 깨달았다는 것을 사나이의 아픈 가슴을 걸고 진심으로 간증하고 싶은 것이다.

끝으로 독자들에게 현실감을 더하기 위해 교도소의 속내용 이모저모를 속어나 비표준어 등을 여과 없이 그대로 리얼하게 표현했음을 밝히며 이해를 구한다. 그리고 이책에 나오는 나의 경험에 의한 조언은 어디까지나 내 개인의 생각이니 참작하길 바란다. 이 책을 읽는 분들에게 조금이나마 도움이 되기를 진심으로 기원한다.

– 미국 캘리포니아주 자택에서 글쓴이 Eddy Lee

차례

Contents

3
기적의 재판

4
북가주 Susanville Prison

차례

Contents

1
아, 내가 사람을 죽이다니

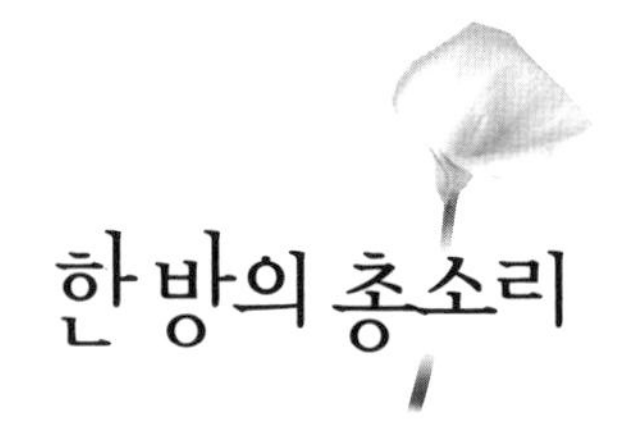

한 방의 총소리

픽업트럭 앞좌석에서 나는 그와 언쟁을 벌였다. 그가 말을 바꾸며 솔직하지 못한 것에 화가 머리끝까지 치밀어 올랐다.

'나도 큰 잘못은 했지만 형도 책임이 있소. 두 가정이 이 지경이 됐지만 우리 다 잊고 새 출발합시다.' 나는 이런 그의 고백을 듣고 싶었는지도 모른다. 그러나 그는 솔직하지 못하고 변명과 거짓으로 일관했다.

'인간이라 잘못을 저지를 수도 있지만 사나이답게 사과도 하고 용서도 구할 줄 알아야지…' 내 참을성은 한계에 다다랐고, 나는 이미 이성을 잃었다.

"이 지경이 된 마당에 왜 변명을 하고 거짓말을 해. 사내새끼가 남자답게 굴지 못하고…" 나는 결국 다리 종아리에 차고 있던 육연발 권총을 꺼내 그의 옆 머리통에 대고 방아쇠를 당기고 말았다.

땅- 소리가 아닌 내 귀엔 펑- 소리로 들려왔다. 관자놀이 옆쪽에서 시커먼 피가 순간 주르르 흐르면서 그는 내 옆으로 푹 쓰러졌다. 내 어깨에 뜨거운 피가 엉켜 흘렀다. 나는 그제야 정신이 바짝

들었다. 그를 밀쳐 창문 쪽으로 쓰러지게 하고는 손에 들었던 권총을 차안에 던졌다. 후들거리는 다리로 어떻게 사무실로 걸어갔는지 모른다.

"내가 방금 사람을 죽였어! 경찰에 신고해 줘." 사무실에 들어서니 Mr. Kim의 친구가 있었다. 나는 자수를 하겠다고 그에게 말했다. 그리고 곧바로 아내에게 전화를 했다.

따르릉— 따르릉— 요란한 전화벨 소리가 덜덜 떨리는 가슴을 더 쿵쿵거리게 했다. 아무도 받지 않았다. 다시 한 번 수화기를 들어 다이얼을 눌렀다. 손이 떨려 번호를 제대로 맞게 눌렀는지도 모를 일이다. 따르릉— 따르릉— 철컥! 아내가 전화기를 들었다.

"여보! 나야 나! 방금 전 내가 Mr. Kim을 죽였어. 이제 나는 끝장이야. 나를 잊고 포기해. 집이나 모든 것 정리하고 아이들 데리고 언니 쪽으로 가서 살아. 미안해! 정말 미안해!" 나는 수화기를 든 채 흐느꼈다.

"여보, 여보! 거기 어디예요? 내가 금방 갈게, 어디예요?" 수화기 저쪽에서 들려오는 아내의 다급한 목소리를 뒤로하고 나는 수화기를 내려놓았다. 그리고 의자에 쓰러지듯 앉아 두 손으로 얼굴을 감싸며 흐느꼈다.

'그래, 나는 끝장이야. 어쩌다 이 지경이 됐나?' 어린 두 아들과 착하디 착한 아내의 얼굴이 내 눈앞에 어른거렸다. 앵~앵~ 사이렌 소리가 들렸다. 사이렌 소리가 멈추는 듯 싶더니 현관 쪽으로 경찰이 들이닥치며 "Freeze! Don't move! Lay down."라고 경찰이 총을 겨누며 소리를 지른다. 나는 경찰이 시키는 대로 바닥에 엎드렸고 곧이어 두 명의 경찰이 나를 덮치며 수갑을 채웠다.

"Do you have a gun?"

"Yes. In my truck."

몸수색을 끝내고 나를 일으켜 세운다. 또 다른 경찰관이 오더니 수갑을 찬 내 손목에 누런 봉투를 씌우고 테이프로 감았다. 양팔에 두 명의 경찰관이 팔짱을 끼고 나를 들다시피 하고 밖으로 끌고 나갔다. 밖에는 이미 여러 대의 경찰차와 소방차 앰블런스까지 와 있었다. 사람 또한 순식간에 새까맣게 몰려들었다.

"Mr. Lee! Mr. Lee! 왜 그래?" 수갑을 차고 경찰에 끌려가는 나에게 낯익은 사람들이 몰려와 의아해 어쩔 줄을 몰라했다. 웅성거리는 소리를 뒤로하고 나를 태운 경찰차는 요란한 소리를 내며 출발했다.

'아! 이제 끌려가면 끝이지. 이 거리도, 이 사무실도, 아니, 내 생(生)도 끝이다.' 조금 전까지도 내 눈에 활기차게 보였던 Korea town 거리가 왠지 싸늘하게 보였다. 한인타운을 벗어나 Santa Ana Police Department 표지판이 나왔다. 경찰관들은 나를 데리고 그리로 들어갔다. 그리고 철커덕 철커덕 철문을 열고 나를 들여보내더니 그 육중한 문은 아무 일 없었다는 듯이 스르르 잠겼다.

종이 옷 고문

깊은 상념에 잠겨있는 나에게 사복차림의 경관이 다가왔다. 옆 사무실로 가자는 것이다. 거기서 얇은 종이 옷 상 · 하의를 주면서 신발부터 모두 갈아입으라는 것이다. 시키는 대로 속옷과 양말 등 모두 벗고 갈아입었다. 신발까지 벗고 종이 신발 얇은 것을 신고 다시 옆방으로 갔다. 그곳에는 여자 사복경관이 대기하고 있다가 내 열 손가락 지문과 피검사를 끝낸 후 유치장으로 나를 물건처럼 집어넣었다.

초조와 긴장, 그리고 체념 상태에서 거의 벌거벗다시피 한 후 냉기가 흐르는 유치장에 다시오니 서있을 수도 앉을 수도 없을 만큼 추위와 허기에 정신이 혼미해졌다. 사고 난지 벌써 십 여 시간, 콘크리트 유치장에서 7-8시간은 족히 지나지 않았나 싶다. 스텐레스 변기통 앞에 두루말이 화장지가 눈에 들어왔다. 우선 화장지를 풀어 뭉쳐 두개를 만들어 콘크리트에 올려놓고 엉덩이 뒤쪽을 화장지 위에 올려놓았다. 다시 한 개를 더 뭉쳐 발끝에 놓고 두 발을 올려놓았다. 아래위턱에서 덜덜덜 발동기 소리가 들렸다. 이건 분명 법적으로 허락 받은 고문 중에 고문 행위이리라.

몸을 비틀고 소리를 지르며 받는 물 고문, 전기고문, TV나 영화에서나 보던 그 고문을 지금 내가 받고 있는 것이다. 아니, 반 얼음 위에 발가벗기고 가만히 앉아 살이 얼얼하도록 고통을 느끼게 하는 이 고문은 정말 고문중에도 혹독한 고문행위라는 생각이 들었다.

얼마나 지났을까. 화장지 위에 몸과 다리를 의지하며 그나마 추위를 이겨내고 있는데 다시 사복경관이 와서 나를 데리고 나간다.

잊을 수 없는 한국말 통역사

취조실로 들어가 조금 있으니 한국 분 한 분이 들어오는 것이다. 언뜻 보니 낯이 많이 익은 분이다. 손을 내밀며 자기 이름을 밝히며 인사를 건네 온다. 그러고 보니 그분은 한인타운에서 보험을 하며 한인회장까지 지낸 분임을 알 수 있었다. 나도 그분에게 인사를 건넸다. 그분은 내 몰골을 보고는 같은 한국사람으로서 아니, 인간으로서 보기에 너무나 초라하고 가엾어 보였던 모양이다. 그도 그럴 것이 반은 발가벗겨진 채 추위에 떨며 몇 시간을 지낸 나로선 입술이 파랗다못해 까맣게 타고 덜덜 떨고 있었을 것이니 말이다.

그분이 나에게 먼저 물었다. "선생님 추우세요?" "예!" "무척 추워 보이세요." "예" 그분이 사복경찰에게 청원을 했다. "Can I give him my clothes!" "Ok, no problem." 그분은 걸치고 있던 상의를 벗어 나에게 걸쳐 주었다. 나는 부끄럽고 창피하고 미안해서 눈인사로 마음을 전했다.

그분이 통역을 하며 사고경위와 가족관계 그리고 직업 등 몇 가지를 물어보았다. 나는 그래도 실낱같은 희망을 기대하며 그분에게 물어보았다. 살인과 살인미수는 하늘과 땅 차이가 아닌가?

"피해자가 어떻습니까? 죽었나 살았나 물어봐 주십시오."

"Mr. Kim died?"

"He died one hour ago."

나는 그 순간 '이제 모든 것이 끝났구나. 포기하고 체념하자' 라고 생각했다. 그분이 떠나면서 나에게 한 마디 했다.

"어차피 금방 나올 수는 없을 것 같은데, 예수 믿으세요. 예수 믿으면 그나마 마음에 평안을 찾을 수 있을 겁니다." 그는 나에게 마지막 악수를 청한 후 슬픈 얼굴로 나를 떠났다. 나는 다시 종이옷 하나로 유치장으로 들어왔다. 조금 후 다시 덜커덕 유치장 문이 열리더니 나에게 다시 수갑을 채우고 경찰차에 태웠다. 새벽녘이 된 듯 싶었다.

2

County Jail

첫 감방배치

드르르 대형 철문이 자동으로 열리면서 나를 태운 경찰차가 빌딩 앞 유리철문 앞에 섰다. 경찰은 나를 데리고 유리철문 안에 있는 교도관에게 인계를 한 후 돌아가는 것 같았다. 안에서 교도관이 시키는 대로 경찰이 준 옷 보따리를 창구로 넣는다. 운전면허증과 Social Security 번호를 확인한 후 여기에 보석이나 현금이 있느냐고 물었다. 나는 항상 지갑 갈피에 비상금을 넣고 다니는 버릇이 있어 돈이 있다고 하며 그가 보는데서 지갑 속에 있던 비상금 모두를 합쳐 200여불 정도를 신고하였다.

종이에 서명을 하고 그가 자동으로 열어주는 옆문으로 들어갔다. 전면이 유리로 된 안이 훤히 들여다보이는 방이 여러 개 있었다. 2번째 방으로 들어가라며 문을 자동으로 열어준다. 그 안에 이미 6명이 있었다. 흑인 1명과 멕시칸 4명, 백인 1명 그리고 나까지 모두 7명이 되었다. 거의 모두들 지쳤는지 구석마다 쪼그리고 누워 있었다.

'이제부터 말만 들어오던 미국감방생활이 시작되었구나. 밖에서 소문으로만 들어오던 미국 감방은 똥구멍이 성할 날이 없다는데 특히 소수의 동양인은 더 힘들다던데…. 여하튼 죽을 때까지 버텨 보자. 죽더라도 맞아죽는 게 낫지. 아니, 내 스스로 목숨을 끊을망정 똥구멍이 찢어지고 아가리에 팔뚝만한 것이 들어와 숨이 막혀 죽지는 않을 것이다.' 나는 나에게 다짐해 보았다.

또다시 얼마나 지났는지 누런 봉투가 가득 들어있는 상자를 하나 들고 와서 감방에 있는 숫자대로 누런 봉투를 나누어주었다. 그러고 보니 이것이 처음으로 받아보는 아침이었다. 어제 아침 집에서 먹은 후 처음으로 먹을 것을 받은 것이다.

목이 메어 입에서 겉돌고 삼킬 수가 없었다. 집이 그립고 사랑하는 가족이 그리웠다. 그 동안 아침마다 아내가 차려주던 뜨끈한 밥과 국이 너무 그립다. 한번도 고맙게 느껴보지 못했던 아내의 손길이 그립다. 눈물이 확 쏟아져 눈물과 함께 빵을 씹어 억지로 우유와 함께 삼켜 넣었다. 아침을 때운 후 배가 조금 부풀어오르니 잠이 쏟아지기 시작했다. 물론 이곳은 경찰 유치장 모양에 음침하고 추위가 있는 곳이 아니다. 24시간 밝고 히터가 들어와 아무 데나 쪼그리고 누우면 그런 대로 잠을 청할 수 있는 곳이다.

점심 봉투를 얻어먹고 한참 지나니 내 이름이 호명됐다. 자동으로 앞문이 열리면서 각 방에서 호명된 십 여명이 한 쪽으로 교도관의 지시대로 움직였다. 또 새로운 문을 열고 들어가 다섯 명씩 두 줄로 섰다. 다섯 명씩 샤워를 하고 나니 셔츠와 팬티, 양말, 운동화 그리고 오렌지색 죄수복을 하나씩 나눠주었다.

TV로 보기만 했던 오렌지색 상 · 하의가 붙은 헐렁한 죄수복이었다. 2, 3분 짧은 시간이지만 따끈한 물에 샤워를 하고 옷을 갈아입으니 한결 몸이 가벼워졌다. 교도관의 지시대로 십여 명씩 복도를 따라 걸으며 어느 복도 앞에 멈춰 섰다. 유리철문으로 안쪽을 들여다보니 전통적인 철창 감방이 보였다. 콘크리트 벽을 중심으로 8개의 철문감방이 죽 붙어있었다. 문을 열어주며 A2 방으로 들어가란다. 이제부터 내가 살아야할 방으로 배치를 받은 것이다.

문신천국(Tattoo)

문을 들어서면서 나는 고개를 끄덕이며 모두에게 간단히 인사를 했다. 내 방은 12명이 수용되는 곳이었다. 백인 1명, 흑인 1명, 멕시칸 9명, 그리고 동양인 1명, 그 중 멕시칸 보스로 보임직한 땅땅하고 체격 좋은 친구가 손짓을 하며 중간 위층 침대를 가리키며 내 침대를 가리켰다. 나는 고맙다는 인사를 하고 담요 한 장과 시트 한 장, 베개, 매트리스 한 장 등 배급받아 온 것을 철 침대 위에 얹고 대강 침대를 정리한 후 먼저 이곳에 와있는 선배들에게 한 명, 한 명 일일이 나를 소개하며 인사를 나눴다.

톰, 암스트롱, 호세, 알바라도…

인사를 끝낸 후 나는 이층 침대에 올라가 누워 보았다. '미국감방도 감방장이 있나? 명령 복종으로 까라면 까고 빨라면 빨고 벌리라고 하면 벌려야 되나?' 모두들 나에게 별 관심이 없는 듯하나 이것저것 걱정이 태산이다. 특히 사업상의 영어 외엔 언어소통이 불편한 나에겐 걱정이 이만 저만이 아니다. 별의별 상상에 잠겨있는데 따르릉 벨이 울리더니 각 방마다 문이 자동으로 열렸다. 방 앞쪽 복도로 나가 웅성대며 기다리는 그들을 따라 나도 나갔다. 한 순진하게 생긴 멕시칸 친구가 나에게 양손을 주머니에 넣으라고 한다.

그가 가르쳐준 대로 양손을 주머니에 넣고 긴 복도의 한 쪽에 길게 서 있으니 몇 명의 교도관이 긴 줄 중간 중간에 배치되어 호령을 한다. 뒤로 돌아서서 손을 벽으로 올리고 벽에 손을 대고 다리를 벌리고 고개를 위로한 채 서있으라고 한다. 물론 이 소리를 처음에 다 알아듣지는 못했어도 옆 사람이 하는 대로 눈치껏 따라했다.

교도관들이 중간 중간에 끼어 들어 하나 하나 몸수색을 한다. 모두 몸수색을 마친 후 다시 손을 집어넣고 일렬 종대로 앞사람을 따라갔다. 구불구불 몇 번 돌아 식당에 도착하니 플라스틱 스푼 하나에 스텐레스 쟁반을 들고 배식순서에 따라 빵 한 조각, 작은 사과 하나, Chili bean 약간의 후식 종류로 한끼에 보통 4-5가지 바꿔가며 배식하는 것이다. 먹는 방법은 우리나라의 군대식과 비슷했다. 충분한 시간을 주는 것이 아니라 배식을 받은 순서대로 의자 테이블에 앉아 먹되 한 팀 30여명이 다 앉으면 다시 1번부터 일어나 나가야 되는 것이다.

즉, 30 여명이 앉을 동안 1번은 거의 다 먹어야 되는 것이다. 순서대로 일어나 나가야 되기 때문에 식사를 다 못해도 못한 대로 일어나야 되는 것이다. 그러니까 의자에 앉자마자 부지런히 먹어야 자기 차례가 일어날 때 거의 다 먹을 수 있는 것이다. 만약 다 먹으려고 꿈지럭거리면 교도관이 소리를 지른다. “Move out!” 다시 쟁반과 스푼을 들고 배식 창구 한 쪽으로 가서 반납을 하고 나오

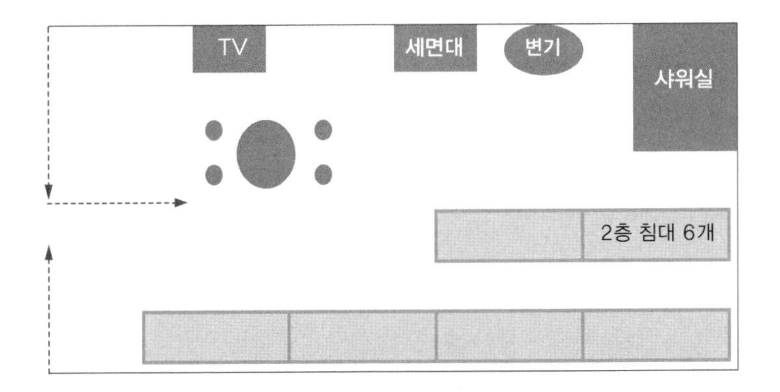

게 된다. 그런데 식당 위쪽 유치장에 감시소를 만들어 그곳에 기관총을 걸어놓고 교도관이 식당 밑을 하나 하나 감시하고 있으며 양쪽 끝으로 2-3 명이 항상 식당 안을 감시하고 있는 것이다. 내 눈을 휘둥그렇게 한 것은 처음으로 몇 백 명이 한꺼번에 모여 있는 장소를 보게 된 것이었다.

'아- 이곳이 미국의 교도소구나' 하고 실감이 갔다. 식당 안의 수백 명의 별의별 인종에 멕시칸 마피아나 street gang들의 전형적인 걸음걸이하며 얼굴, 목, 귀, 머리통, 팔, 손, 심지어 눈가, 입술 옆, 코 등 문신 천국임을 한 눈에 볼 수 있었다. 정말 분위기에 몸이 움츠러들었다.

떡대 만한 백인 친구들의 울긋불긋한 팔뚝 전신의 문신들하며 눈가의 눈물방울부터 철조망 문신, 여자 문신 등 문신예술의 극치라고나 할까. 세상에 태어나 처음 보는 나로선 공포의 분위기에 주눅이 들 수밖에 없었다. 과연 앞으로 이곳에서 무사히 살아남을 수 있을지 겁이 났다.

피조물

건드리면 부서지고
속삭이면 기울이고
약하디 약한 것

남 잘됨이 배아프고
쓰러짐에 미소 짓는
인간은 피조물

손해봄에 양보 없고
지은 죄에 용서 못해
스스로 무덤을 파네

자기 자신 약함 알고
자기 죄 인정할 때
고난 속에 죄 사함 받네

– 감방에서

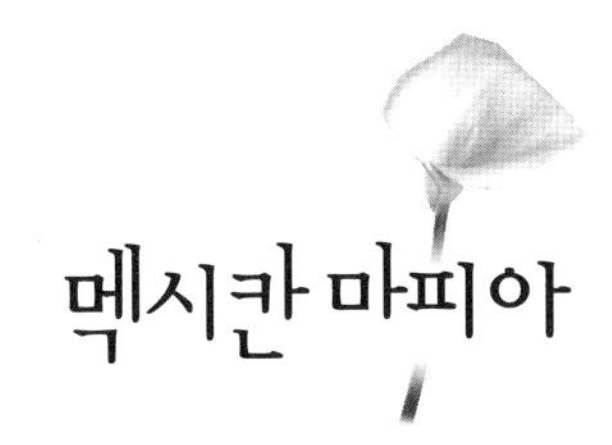

멕시칸 마피아

일주일에 한 번씩 입고있던 옷을 바꿔주는 세탁날이 있다. 그날은 죄수복 하나와 팬티, 셔츠, 양말, 타월, 시트를 바꾸어준다. 또한 일주일에 한 번 작은 봉지 캔디 1개와 담배 4개들이 한 갑, 면도기, 비누, 치약 등을 한 개씩 배급 주는 날이기도 하다. 개인 영치금이 있으면 주문용지에 품목별로 기입하고 금액을 정확하게 합산하여 서명을 하면 이동매점이 왔을 때 용지를 주고 사먹을 수도 있는 날이다. 물건이래야 주로 캔디나 초콜릿, 비누, 치약, 연필, 노트 정도이다.

나는 방 동료들과 가깝게도 멀게도 하지 않고 지냈다. 12명 중 항상 8-10명은 멕시칸이 차지한다. 나는 밖에서 항상 멕시칸을 2-3명씩 데리고 일을 했기 때문에 그들이 여러 명 있어도 대수롭지 않게 보이며 은근히 열등의식도 있고 해서인지 그들에게 일부러 접근하여 사귀고 싶지는 않을뿐더러 나의 자존심 또한 말을 듣지 않았다. 뜻밖에 살인까지 하고 생전 처음 미국감방에 오느라 긴장감과 초조감으로 고생도 했지만 얼마 지나고나니 나도 모르게 오기와 본성이 나오는 것이다.

아직도 욱하는 성격과 겁이 별로 없는 성격, 그까짓 초콜릿 몇 개 더 사서 그들에게 나눠주며 사랑과 친절로 그들과 좋은 관계로 지내면 좋았을 텐데 나의 성격은 그렇게 너그럽지 못했다. 우리 방에는 이곳에서 제일 오래된 땅땅한 멕시칸이 한 명 있었다. 그도 살인을 하고 들어와 벌써 1년 이상 이곳에서 재판을 기다리던 사람이다. 오랫동안 이곳 감방에서 햇빛을 못 봐서인지 얼굴 색은 백짓장 같으나 매일 먹고 팔굽혀펴기 등 몸으로 하는 운동을 하여 가슴이 딱 벌어진 친구가 그 동안 나에게 대하는 태도가 예사롭지 않았다.

그러나 그들도 나에게 섣불리 건드리지는 않는 눈치였다. 왜냐하면 중년 나이에 작은 키에 딱 벌어진 어깨 근육에 조화를 이룬 팔뚝이며 다리가 범상하게 보였기 때문일 것이다. 내가 이 방에 들어오면서 내린 결론은 상대방에게 약하게 또한 약점을 보여서는 살아남기 힘들겠다는 것이었다. 나는 운동을 해도 육체미운동보다는 자기방어운동에 중점을 두고 감방 한 구석에서 소리나지 않는 기압을 넣어가며 그들이 보이지 않게 아니, 살짝 보도록 앞발차기와 격파시범 등을 주로 연습했다.

동양인으로서는 누가 봐도 몸짱 쪽에 들어가니 이 점을 십분 발휘하는 것이다. 어차피 물은 이미 모래바닥에 엎질러진 이상 이곳에서 누구에게 얻어터지거나 개죽음을 당할 수 없다 싶었다. 한 달 정도 지내니까 3-4명이 바뀌었다. 그런 대로 잘 적응해 나가면서 서열이 중간보다 조금 아래쯤이 되었다.

나도 이젠 위층 침대에서 아래층 침대로 내려갈 순서가 되었다. 즉, 아래층에 있던 고참들이 재판이 끝나거나 어떤 이유로 다른 곳으로 이동해 가면 위층에 있던 사람이 순서대로 밑으로 내려가 좀 더 편하게 침대 생활을 할 수 있다. 아래층 침대는 언제든지 침대 옆에 걸터앉아도 좋고 누웠다 일어났다 편하게 할 수 있지만, 위층 침대는 여간 불편한 게 아니다. 옆에 걸터앉으면 아래층으로 다리가 내려가 아래층 사람에게 피해를 주니 걸터앉을 수도 없고 올라갔다 내려왔다 하는 것도 여간 불편한 게 아니다.

오늘은 밑에 있던 멕시칸 친구 하나가 빠져나가게 되어 나는 얼른 짐을 싸들고 내려가려 했다. 그런데 멕시칸 마피아가 나보다 며칠 늦게 들어왔던 멕시칸에게 그 자리를 차지하라는 것이다.

"내가 이곳에 먼저 들어왔으니 저 자리는 내 차례다. 그렇지 않은가?" 내가 그렇게 말했으나 그러나 호세는 억양을 높이며 오늘 나간 친구나 지금 이 친구는 모두 자신의 친구라는 것이다. 나도 나의 생각대로 원리 원칙을 내세웠다. 그러나 호세 역시 만만치 않았다. 그 동안 같이 지내면서 못마땅하게 대하던 그가 이번 기회에 단합을 하며 기선을 완전 장악하려는 태도인 것이다.

그는 'Fuck you' 욕을 해대며 순간 그의 오른손 펀치가 나의 안면을 향해 날아왔다. 그러나 나는 이곳에 온 후 항상 방어태세로 마음을 무장을 하고 있던 터라 살짝 피하면서 그의 손을 잡았다. 재빨리 뒤로 올려 꺾으면서 'Fuck you' 한 마디 해주고 팔을 풀어주었다. 그는 식식거렸지만 나의 빠른 방어 행동에 섣불리 다시 주먹을 휘두르지는 않았다. 그는 화를 내며 독한 말을 뱉어내며 나를 노려보았다. 여하튼 살벌한 휴전상태였다. 그는 점심을 먹고는 기분이 다 풀렸는지 태연하게 친구들과 떠들며 대화하고 있었다.

그러나 나는 한시도 방심하지 않고 그를 주시하고 있었다. 나는 호세 친구에게 결국 자리를 양보하고 내 자리로 되돌아갔지만 오전에 나에게 창피를 당하고 호락호락 그냥 없었던 것으로 물러설 그런 자가 아니라는 것을 알고 있었다. 마음 같아선 양손이나 양다리를 부러뜨려 그를 다른 곳으로 보내버리고 싶었지만 이곳 교도소에 널리 퍼져있는 그들의 조직망을 벗어날 수 없다는 것을 알고 있었다. '그까짓 침대 양보할 것을…' 나는 또다시 나의 지혜롭지 못했던 행동을 후회했다.

그때 그가 바로 악명 높은 멕시칸 마피아 중간 보스급 되는 일원이라는 것을 알게 되었다. 마약문제로 상대를 죽이고 살인죄로 잡혀 들어와 벌써 1년이 넘도록 이곳 교도소에서 평생을 지내며 생을 마감해야 되는 운명이기에 어차피 바깥 세상을 포기한 친구라는 것이다. 어느 정도 짐작은 했지만 그 동안 나 또한 그와 별로 가깝게 지내지 않았기 때문에 자세히 알 수가 없었던 것이다. 나는 이런 작은 일이 엄청나게 큰 일로 빠져들 줄은 미처 생각하지 못했다. 답답하면서도 불안하고 초조한 것은 바로 내 쪽이었다. 눈을 살며시 감고 한숨과 공상에 빠져 있는데 호세 쪽에서 부스럭 소리가 들렸다. 나는 순간적으로 그쪽을 쳐다보게 되었다. 그때였다. 손에 무엇인가 잡고는 나를 향해 돌진하며 힘있는 대로 찍어 내리는 것이다. 나는 본능적으로 몸을 피하며 누워 있는 자세로 관수로 그의 옆구리를 가격했다.

그는 욱하며 몸을 수그리는 자세를 본능적으로 취했고 나는 그 때를 놓치지 않았다. 나는 그의 손을 잡고 비틀어 손에 잡고 있던 칼을 빼앗았다. 그 순간 호세는 스페인어로 뭐라고 다른 동료들에게 도움을 청하는 듯 싶었다. 다른 멕시칸들이 나에게 달려들 기세를 취해왔다. 눈 깜빡할 사이에 죽느냐 사느냐 기로에 서 있음을 느꼈다. 사태가 이지경이 되고 보니 이젠 악이 생겼다. 나 역시 이미 한 사람을 저 세상으로 보낸 처지에 다시 한 놈을 병신이나 아니면 죽여도 사형밖에 더하랴 하는 마음이 들었다. 나는 호세의 팔을 뒤로 꺾어 앞에 세우면서 그들에게 호령, 아니 사정을 했다.

“I don’t want to fight you. ok? I apologized this morning, right?” 나는 호세를 놓아주고 칼을 다시 호세에게 건네주었다.

“호세, I’m sorry. I don’t want to fight you.” 나는 다시 한번 사과를 하고 침대에 누웠다. 다시 침묵이 흘렀다. 그들 또한 나에 대한 반감이 완전히 풀리지 않았음을 나는 알고 있었다. 그러나 나는 분명히 두 번씩이나 사과를 했다. 그런데 점심 전에 나에게 당하고서 점심 후 호세는 어디선가 칼을 구해왔던 것이다. 분명 그 칼은 하루아침에 만든 칼이 아니었다. 1인치 넓이에 6인치 정도의 짧은 쇠붙이지만 콘크리트 어디에 오랫동안 갈아서 만든 수제 칼이 분명했다. 날은 아주 예리하게 뾰족했고 손잡이는 시트를 찢어 감아서 만든 수제 칼이었다.

나는 내 스스로 고개를 흔들며 질책했다.

'너 재판도 받아보기 전에 네 스스로 네 목숨을 포기하는 거냐? 미국감옥 안에서 개죽음으로 생을 포기할거냐?' 자격이 없는 남편이요, 아빠지만 그들 얼굴을 생각하면 가슴이 찢어지는 고통이 왔다. 내 눈엔 어느덧 피눈물이 흥건히 고여 있었다.

"여보! Jim 엄마! 내가 사람을 죽였어. 이제 모든 것이 끝장이야. 미안해. 아이들 데리고 언니네 쪽으로 가."

"여보, 아빠! 어디에요? 내가 그곳으로 갈게요." 아내의 다급하면서도 간곡했던 처절한 목소리가 다시금 귓가에 쟁쟁거렸다.

'생을 포기할 것이냐 실낱같은 희망에 기대를 할 것이냐 기로에서 있었다. 일단 감옥에서 이런 개죽음은 피하자' 나는 결론을 내렸다. 사실, 말이 쉬워 감옥이지 이 나이에 감옥이라니… 앞이 캄캄하고 아무런 의욕도 없으나 가족들을 생각하니 살고 싶어졌다. 그런데 살기 위해선 앞으로 변호사도 선임해야 하고 여러 상황으로 보면 돈도 많이 필요한데 이런 상황에서 과연 나를 도와 줄 사람은 몇 명이나 있겠는가 생각해 보았다.

그 동안 밖에서는 항상 주위에 친구들과 아는 사람이 많았는데 막상 사고 후 나를 진정으로 걱정해주는 사람은 아내 이외엔 하나도 없었다. 특히 어려울 때 나에게 현찰을 만 불이나 빌려간 친구가 안면을 싹 바꿀 때는 치가 떨렸다. 나에게 빌린 돈이 없어도 이럴 때 내 가족을 위해 도움을 줘야할 친구들이건만 얼굴을 돌리다니

참으로 서운했다. 피해자 가족으로부터 오는 협박 전화로 아내는 몸살을 앓을 지경이라는데 돈은커녕 날마다 시련을 받는 아내의 고충은 어쩔 수 없다 치더라도 어려울 때 도와주고 빌려준 돈이야 이럴 때 갚아야 되는 게 아닌지… 사람들이 무섭다는 생각이 들었다.

교도소에서는 하루에 한번 자기 차례가 오면 밖으로 전화를 걸 수 있었다. 난 돈 빌려간 친구에게 전화를 걸기로 했다. 배신의 아픔이 몰려와 더욱 치가 떨리고 슬펐다. 은혜를 원수로 갚다니… 다이얼을 돌렸다. 따르릉하고 신호가 갔다. 잠에서 깬 목소리가 들려왔다. 그때 교환원이 상대방에게 물어보는 소리가 들렸다.

"Collect call, Will you accept?" "Yes라고 해." 나는 전화를 받는 친구에게 대답을 하라고 다그쳤다. 그는 얼떨결에 수화기에 대고 'Yes' 라고 했다. 교도소에서 거는 것은 모두 수신자 부담이기 때문이다. "내가 누구보다도 당장 돈이 필요한데 나에게 꾸어간 돈을 갚을 생각을 안 한다며?" 상대방이 펄쩍 뛰며 아니라고 한다. "그러면 앞으로 일주일 안에 돈을 갚아라. 만약 돈을 그때까지 갚지 않는다면 훗날 무슨 일이 일어나도 나를 원망하지 마라. 알겠어? 일주일 후야. 명심해!" 나는 수화기를 내려놓았다. 물론 이 통화는 모두가 도청이나 녹음이 되는 것으로 알고 있다. 사람이 악이 바치니 '악' 밖에 남는 것이 없는 것같다.

일주일 후 돈을 받았다는 아내의 소식이 왔다. 어려운 일을 당하고 깊이 느낀 것은 돈 거래는 누구와도 하지 말아야한다는 것이다. 결국 사람 잃고 돈 잃고 상처만 받는다는 걸 알았다.

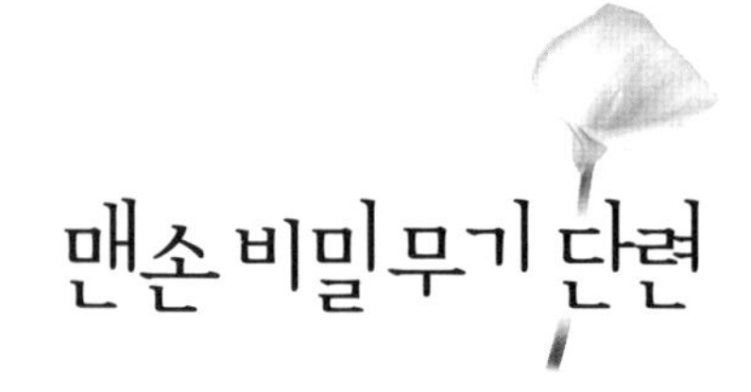

맨손 비밀무기 단련

사실 나는 학창시절을 원만하게 제대로 성장하지 못했다. 건축업을 하셨던 아버님 슬하에 4남매의 장남으로 태어나 파란만장한 삶을 살았다. 아버님을 닮아서인지 나쁘지 않은 두뇌와 강단으로 태어났으나 어려서부터 들로, 산으로, 강으로 뛰쳐나가기는 좋아했지만 학창시절 공부에는 전혀 관심과 취미가 없어 망둥이처럼 이리저리 뛰며 학창시절을 보냈다.

학교에 간다고 책가방을 끼고 나와서 학교는 가지 않고 하루 종일 들로 산으로, 다리 밑으로 또는 불량 친구들과 어울려 심지어 구걸 행각까지 해가며 사서 고난의 수련을 했다. 그리고 저녁이면 언제 그랬느냐는 듯이 책가방을 끼고 집에 돌아와 "학교 다녀왔습니다"하고는 책가방을 한구석으로 던져 버리고 다음날 아침에 다시 들고 나가는 불량 청소년이었다.

중학교 때인가 제대로 농땡이를 치려니 옆에 끼고 다니는 책가방도 여간 귀찮질 않았다. 하루는 귀찮은 책가방이 거추장스러워 아예 아침부터 어디다 감춰버리고 하루종일 홀가분하게 다닐 목적으로 고개 너머 학교 가는 길옆에 있는 보리밭 고랑 속에 숨겨놓았다. 혹시 누가 보면 안되기에 힐끔힐끔 사방을 살핀 후 교복 윗도리를 벗어 책가방에 넣고 책가방 속에 있는 난방 셔츠를 꺼내 입었다. 그때만 해도 흰색 싹스에 히찌부 바지에 난방 셔츠 하나 걸치면 금방 멋쟁이 불량소년으로 변신이 되었다.

같은 또래들에게 얻어터지는 일은 없어야 되겠기에 태권도장에서 체력을 단련한 후 온종일 다니다가 저녁이 되어 보리밭 오른쪽 고랑을 찾았다. 그런데 그 근처를 다 뒤져도 가방이 없었다. 하는 수없이 결국 어떤 놈이 내 책가방을 도둑질해 간 것으로 결론을 내리고 빈손으로 집에 들어갈 수밖에 없었다.

"다녀왔습니다. 엄마! 오늘 어떤 놈이 책가방을 훔쳐갔어. 그것도 체육시간에 말이야. 교복 윗도리까지 몽땅 훔쳐갔어." 나는 거짓말을 하면서도 별로 겁이 나지 않았다. 그 당시는 자식들 교육에 일일이 관심을 갖고 시간과 관심과 사랑을 쏟는 시대가 아니었다. 시골에서 번듯하게 교복에 모자를 쓰고 책가방을 들고나서는 것만 보아도 우리 부모님은 뿌듯하셨을테니까. 우리 동네에서 중 · 고등학교 다니는 사람은 손가락으로 꼽힐 정도였으니 말이다.

여하튼 나보다 더 나쁜 놈이 훔쳐갔다는 데는 부모님도 어찌하랴. "이런 못난 놈" 하시고는 또다시 풍부하지도 못한 주머니에서 돈을 꺼내주셨다. 여기까지는 잘 넘어갔다. 이후 두 달쯤 지나 어느 날 동네 아저씨가 내 책가방을 들고 우리 집으로 찾아오신 것이다.

"자네 아들놈 책가방을 우리 보리밭 고랑에서 찾아서 가지고 왔네. 오늘 보리를 추수하다보니 자네 아들놈 책가방이 우리 보리밭에서 나오지 않았나. 책장에 이름이 있어 가지고 왔네." 옆에서 가방을 받아 쥔 나로선 할 말이 없었다. 내 얼굴은 똥색으로 변했다.

그러나 무술도 끈기와 저력이 없어 고단수는 되지 못했다. 틈틈이 태권도를 배웠고 중 · 고등학교 때 누구나 유도는 필수과목으로 해야했고, 대학 1학년 때는 전국 아마추어 그레코로망레슬링을 배워 밴탐급 준우승까지 한 적이 있었고 고등학교 졸업 무렵에는 육체미운동을 한다고 몸매를 자랑했던 때도 있었으나 사실 끝까지 제대로 한 건 아무 것도 없었다.

어려서 부모님 속을 태워서인지 나는 요즘 새로운 버릇이 생겼다. 부모님 생각만 하면 나도 모르게 눈물이 왈칵 쏟아지고 가슴이 아파 견딜 수가 없다. 어머니 아버지가 그립고 보고싶어 먼 하늘을 멍하니 바라볼 때가 수없이 많다.

'아버지, 어머니 용서하세요. 불효 중에 불효자가 웁니다. 내 나이 벌써 육십! 이제야 조금 철이 들었나 봅니다. 이제 정말로 부모님을 잘 모시고 살고 싶은데 곁에 아니 계시는군요. 아니! 내 자식한테까지 아비노릇을 제대로 못하는군요. 용서하세요. 이 못난 놈을!'

그 아비에 그 자식이라는데 우리 아이들은 천사처럼 착하게 잘 자라주어 더할 나위 없이 감사할 뿐이다.

그나마 학창시절부터 조금씩이나마 익혀온 체력단련으로 감옥에 들어와 덕을 본 건 사실이다. 이곳에서는 주로 좁은 장소에서 싸움이 벌어지게 되니 상대방 급소를 한 방에 가격하여 선제 제압하는 방법이 최선의 방법이다. 특히 좁은 공간의 싸움에선 앞발 차기와 조르기, 꺾기, 급소 가격이 매우 중요한 것이다. 입가나 눈덩이, 콧등을 잘못 가격하면 외상으로 찢어지게 되고 찢어지면 피가 많이 나오게 되는데 피를 보면 상대방이나 나나 더 흥분하게 되는 것이다. 혹, 교도관 눈에도 쉽게 뜨일 것이니까 나의 이곳 싸움 철학은 피가 보이지 않게 상대방을 일찍이 제압하는 것이다. 솔직히 불량청소년 때 싸움질을 많이 했지만 무술이 아닌 실전 싸움을 주로 했기에 고단수가 아니더라도 막상 싸움을 하게되면 그 동안 배워두었던 것이 큰 도움이 되곤 한다.

정신집중, 앞발차기, 관수, 손끝이나 손바닥으로 상대방 턱이나 옆구리치기와 찌르기, 엄지와 검지로 상대방 목줄 따기, 일단 붙었을 때는 엎어 치기, 목조르기, 꺾기 등으로 상대방의 팔이나 다리를 당분간 못쓰게 만드는 것이다.

기본 운동에 실전을 많이 해본 나로선 엎어 치기, 조르기, 꺾기는 기본이다. 즉, 같은 또래에게 같은 중량으론 얻어터지는 일은 별로 없었다. 또한 기본 체력이 튼튼한 편이라 매년 시골 장터에서 벌어지는 씨름판에서 서너 명을 꽂아 박는 것은 기본 실력인데 그 때는 한번 질 때마다 조금씩 큰놈들이 나오게 되어있어 서너 명을 이기다보면 결국 덩치에 눌려 상대가 될 수 없어 지곤했다. 그때마다 연필이나 공책 등을 여러 번 탄 기억이 난다.

특히 나의 특기인 비밀병기무기는 엄지와 검지로 천둥번개와 같은 속도로 상대방에게 달려들어 상대방의 목줄을 따는 것이다. 두 세 손가락으로 바닥을 짚고 팔굽혀펴기와 철침대 모서리, 철창 매트리스 모서리를 치며 그 순간 쪼이는 연습을 반복하는 것이다. 엄지와 검지에 잡히면 목줄은 물론이고 팔뚝이든 뭐든 잡히기만 하면 부러지지는 않더라도 며칠 동안 못 쓸 정도로 통증이 심하도록 만들 수 있기 때문이다. 밥 먹고 할 일 없으면 공상과 망상에 더 빠져들게 마련이라 나는 괴로움을 잊기 위해 시간이 나면 연습을 했다.

떠남

떠남이란
끝이요, 시작이요
불행이요, 속박의 탈피요
행복을 외면한
고난과 시련, 단련의 첫 장이요,
아늑한 미지의 세계에 도전하는
준비 없는 항해요
그러나
고통을 풀 수 없는 번뇌 갈등이
미지의 세계에 도전을 촉매하는 것이요
현재보다 나음도 못함도 모르는 세계에
닻을 올리는 마음
밀려오는 거센 파도에 부딪혀
몸과 마음이 부서져 보는 것이리.

– 방황할 때

병동이송

나는 위층 침대에 반쯤 누워 그들의 일거수 일투족을 예의 주시하고 있었다. 그러나 계속되는 이런 긴장 상태가 1초가 1년 같았다. 내가 깜빡 잠이 들었을때 호세가 언제 다시 나의 가슴에 칼을 꽂을지 또한 그들이 짜고 합심하여 한꺼번에 덤벼들지 한 순간도 방심해서는 안되기 때문이다. 분명한 것은 점심 후에 칼을 가지고 온 것이다. 그렇다면 그 동안 어디다 칼을 숨겨 놓았었거나 다른 방 동료를 통해서 가지고 온 것이다. 이곳에서도 가끔 예고 없이 교도관이 각 방을 수색하는데 그때마다 분명 칼은 발각된 적이 없었기 때문이다.

이곳 역시 거의 반 정도가 남미계 죄수들이기 때문에 오랜 전통과 연락망이 있어 그들만의 비밀조직이 있기 마련이다. 또한 멕시칸들은 단결력이 강하기 때문에 어느 민족에게나 당하고는 물러서질 않는다. 여하튼 나는 그들에게 신뢰할 수 있을 정도로 화해를 하던지 아니면 어떻게든 이곳을 빠져나가거나 탈출해야한다고 느꼈다.

그렇다면 이곳에서 자살하면 간단하나 그렇지 않으면 방법이 없었다. 더군다나 재판이 빨리 끝나고 state prison으로 이송되려면 6-8개월은 족히 걸린다고 들었는데 나는 아직 재판이 제대로 시작되지도 않았는데 걱정이었다. 조금 있으면 저녁인데 그 시간을 최대한 이용하는 방법 외에는 방법이 없다고 결론을 내렸다. 나는 침대에서 내려와 호세에게 다시 한번 사과를 했다. 내 자존심은 허락하지 않았지만 동양인 외톨이인 나는 별 방법이 없었다.

썩어도 준치라고 나는 곧 죽어도 지금까지의 위엄은 지켜가며 “What's up, man! I'm sorry. I apologize! If you want, I'll move to this room, ok?” 나는 일일이 다른 졸병 멕시칸들에게도 악수를 청했다. 그리고는 약간의 기압 소리와 함께 몸을 돌려 돌려차기로 스텐레스 세면대를 걷어찼다. 얼마나 세게 찼으면 스텐레스 세면대가 쭈그러들었다. ‘퍽’ 소리와 함께 나는 허리를 굽혀 신음소리를 내며 허리를 굽혔다. 생각대로 발등이 금방 시퍼렇게 부어 올랐다. 속에서 핏줄이 터져 부풀어 오른 것이다. 그때 따르릉 저녁 식사 벨소리가 들렸다. 우리 방 친구들이, 특히 백인들이 놀라워하며 “Mr. Lee, are you ok?” 괜찮으냐 물었고, 나는 맨 늦게 절뚝거리며 따라나가 복도에 섰다.

한 교도관이 내가 다리를 몹시 절뚝거리는 것을 보고 나에게 와서 무슨 일이 있냐고 물었지만 나는 위층 침대에서 뛰어내리다가 발을 잘못 디뎌 다쳤다고 거짓말을 했다. 물론 내 머릿속에는 이미 계획이 있었다. 다른 방법이 없었으므로 내 스스로 자해를 저질렀다. 간수들에겐 말도 통하지 않았지만 방을 옮겨달라고 간청해봤자 그리 쉬운 일이 아니라는 것을 알기 때문이다. 특히 한국사람들은 감방생활을 하면서 적응을 못해 성깔을 부리고 뒤처리를 못해 좁은 감방 안에서 맞아죽은 경우도 있다고 들어왔기 때문이다.

나는 교도관 앞에서 더 엄살을 부렸다. “I can't walk.” 나는 다리를 잡고 주저앉다시피 했다. 첫 번째 교도관이 다른 교도관과 상의를 하더니 나를 옆으로 빼놓았다. 다른 죄수들은 몸수색을 한 후 식당으로 모두 인솔해가고 한 교도관이 목발을 가지고 와서는 자기를 따라오라는 것이다. 목발을 짚고 나는 그를 따라갔다. 철문을 몇 개 지나 어느 작은 방문을 열고 들어가라는 것이다. 안으로 들어가니 작은 방에 단층 침대 2개가 놓여있는 독방임을 알 수 있었다. 나는 어떻든 성공했다는 생각에 긴장이 풀렸다.

죽고 사는 판국에 발등쯤 부서진들 그게 뭐 대단한가! 나의 기지로 하나밖에 없는 목숨을 구했다고 씁쓸한 한숨을 토해냈다. 아! 그런데 이제 통증이 온 몸을 엄습해 오는 것을 느끼게 되었다. 긴장이 풀리는 순간이었다. 이 모든 사건은 저녁 식사시간에 맞춰 계획된 자해사건을 저질러 이 방에서 탈출하는 자작극인 것이다.

꺾인 햇살

작은 창으로

꺾인 햇살이 스며

암영을 지워줄 뿐

사방이 회색 콘크리트

사고(思考)할 줄 모르는

동물이 부럽다

천지가 흙인데

흙이 그립다

부딪히는 게 인간 무리인데

사랑하는 사람들의

훈훈한 입김이 그립다

세월 흐름은 막을 수 없다지만

빠르게는 못할까

흐름마저 벽에 막혀

끊긴 듯 하구나

용서하는 길이

승리하는 길을 알았다면…

– 감방에서

백인 정신병자

발을 쳐다보며 끙끙 신음을 하고 있는데 문소리가 덜커덕 나면서 백인 한 명이 내 방으로 들어왔다. "What's up? Nice to meet you!" "What's your name?" "My name is Eddy." "My name is Robert." 간단히 인사를 나눈 후 각자 침대에 앉아 이야기를 나누고 있는데 문쪽 작은 구멍으로 그 동안 여러 번 먹어봤던 봉다리 식사가 배달된 것이다. 그래도 식당에서 먹어야 따끈한 음식이 그런 대로 먹을만한데 정말 이것은 음식이 아니다. 그래도 살려니 입안으로 쑤셔 넣는다.

또 이곳은 샤워장도 TV도 없는 독방이었다. 그래도 먼저 방에는 샤워실이 있어서 수면 시간외에는 아무 때나 사용할 수 있기 때문에 하루에 한번 시간을 때우기 위해서라도 따스한 물에 샤워를 하는 것이 최대의 낙이었는데 이제 그나마 할 수도 없게 된 것이다. 찬 음식을 꾸겨 넣고 다리도 아프고 침대에 누워 허공을 쳐다본다. 천장 가운데 환기통이 보였다. 그곳을 통해 찬 공기가 쏴하고 들어오는 소리가 들렸다.

매트리스 한 장에 커버 한 장, 베개 한 개, 담요 한 장이 전부이다. 그런데 시간이 지날수록 점점 더 추워지는 것이다. 작은 방에 단 두 명이 있으며 천장 가운데 환기통에서 24시간 찬 공기가 들어오니 추위를 타기 시작한 것이다. 특히 잠자리에 들어 담요로 머리까지 뒤집어 써봤자 별 소용이 없다. 그렇다고 담요를 더 달라고 할 수도 없고 그나마 낮에는 움직이기 때문에 그런 대로 추위를 못 느껴도 가만히 누워있으니 냉기가 발끝부터 온몸을 엄습해 왔다.

나는 천장에 있는 환기통을 원망스럽게 쳐다보다가 문득 아이디어가 생각났다. 그래, 저 구멍을 막아버리자. 처음 유치장에서 화장지를 말아 깔고 앉아 추위를 어느 정도 이겨냈지만 이번엔 화장지로 환기통 구멍을 막아 최대한 차가운 바람을 적게 들어오게 하여 추위를 이겨내는 방법을 쓰자는 것이다. 그러고 보니 이곳에서도 그런 대로 충분히 쓸 수 있는 화장지가 여간 고맙게 느껴지는 것이 아니다. 그런데 막상 해보니 생각대로 쉽지가 않았다. 환기통에서 계속 바람이 나오기 때문에 발뒤꿈치를 들고 손끝으로 간신히 닿는 환기통에 화장지를 겨우 꽂으면 바람에 날려 떨어지기 때문이다.

또한 단단히 박아 놓아도 바람 때문에 떨어져 나가는 게 문제였다. 또다시 낙담 끝에 주저앉아 있다가 이번엔 물에 약간 적셔서 막아보자고 생각하고 화장지에 물을 약간 적셔 환기통 구멍을 한 쪽부터 하나 하나씩 막아보았다. 드디어 최소한의 구멍만 남기고 다 막았다. 그날 저녁은 추위에 떨지 않았다.

아침 봉다리 식사 후 간수 한 명이 나를 데리러 왔다. 그의 지시대로 목발을 짚고 이리저리 따라 내려가니 Santa Ana Sheriff Building 정문이 나오는 것이다. 이 문으로 내가 처음 들어왔었구나 하는 생각이 들어 기분이 이상해졌다. 그 동안 두 달 동안 다람쥐 쳇바퀴 돌듯 이 빌딩 안에서 지냈다는 것을 알 수 있었다. 또 다른 교도관 한 명이 따라 붙더니 Van에 타라는 것이었다. 물론 Sheriff 전용 Van이었다. 운전석 사이에 철망과 옆 창문마다 철조망이 안쪽으로 덧붙여 있었다.

나는 이들이 왜 나를 데리고 가는지 알 수 없었다. 의족을 의지하여 차에 올라타니 차에서 수갑을 채웠다. Santa Ana 시내를 거쳐 어느 병원 앞에서 차를 세웠다. 수갑을 다시 풀어주며 내리라고 했다. 그때서야 병원에 데리고 온 것을 알았다. 특히 나 같은 경우는 X-ray를 찍어 보아야 하는데 County Jail에는 그런 시설이 없기 때문에 특별히 일반 병원으로 데리고 온 것이다. 너무나 미안하다는 생각이 들었다. 그러나 미국이란 나라는 민주국가의 표본이 아닌가. 혹시라도 내 발에 커다란 문제가 생기면 훗날 정부를 상대로 더 큰 소송을 하고 들어오기 때문에 이 정도의 배려는 당연한 거였다.

그래서 세계적으로 변호사 인구가 제일 많은 나라가 바로 미국 아닌가. 여하튼 병원에 들어가 X-ray를 여러 장 찍고 빙글빙글 돌아 다시 내 방에 돌아왔다. 어쨌거나 잠시나마 바깥 세상을 구경하고 온 것이다. 의사의 말로는 뼈에는 별 이상이 없다고 하니 시간이 지나야 될 일이었다. 방에 들어오니 역시 방이 썰렁했다. 의식적으로 천장 가운데 환기통을 쳐다보았다. 그런데 그 동안 내가 정성 들여 막아놓은 화장지가 없었다.

"Hey, Robert! Did you take that paper?" "Yes." "Why?" "I'm hot." 이 소리를 듣는 순간 피가 거꾸로 올라오는 것 같아 미칠 것만 같았다. 그 동안 제일 먼저 배웠던 욕이란 욕은 다하며 펄펄 뛰었다. 하도 세게 죽일 듯이 날뛰며 욕을 해대니까 이 놈이 기가 죽어 쥐구멍을 찾는 것 같았다.

"Put the back paper, ok?" "Sorry, Sorry, I will." 나는 다시 화장지에 물을 약간 묻혀 그에게 건네주었다. 그는 키가 크기 때문에 별 어려움 없이 구멍을 막았다. 나는 그에게 "I'm getting old. ok? You're young, right?" 처음 그를 볼 때 약간 이상하다고 생각했었는데 오늘 보니 이상한 것이 분명하였다. 역시 교도소 생활이란 산 넘어 산인 것 같다.

병원에서 준 알약을 이틀 동안 먹으니 이제 거의 통증이 사라져 지팡이 하나로 걸을 수 있게 되었다. 며칠 후 교도관이 나를 보더니 "Are you much better?" 하고 물었다. 나는 "Yes" 라고 했고 그날 교도관은 나를 데리고 커다란 다른 방으로 가더니 16번으로 가라는 것이었다.

인간은 이렇게 간사한 것인가. 내 자신에게 내가 놀랄 지경이다. 역시 인간은 어우러져 살아가야 되는 동물이라는 생각을 했다. 40여 명이 북적거리며 한 쪽에는 샤워실, 한쪽에는 TV방이 있었다. 지나온 몇 가지 방에 비하면 이곳은 사람 사는 것 같은 느낌이 들었다.

나는 그 동안 추운 방에서 샤워도 못했기 때문에 먼저 따끈한 물에 샤워를 하기 위해 샤워실에 들어섰다. 4명이 한꺼번에 할 수 있는 공동 샤워실이었다. 이미 한 명이 먼저 와서 샤워를 하고 있었다. 그러나 나는 샤워장에 들어서는 순간 코를 벌렁거려야 했다. 똥 냄새가 코를 찔렀기 때문이다. 인상을 찌푸리고 샤워 꼭지 앞으로 가며 옆 친구를 곁눈으로 보니 그의 앞쪽에 똥 덩어리들이 널려 있는 것이 보였다.

우선 상황판단을 해야 되겠기에 다시 그 친구를 옆 눈으로 보았다. 그런데 이번에도 또 놀랐다. 그는 배 옆에 비닐봉지를 하나 달고 있었다. 그러니까 똥주머니를 차고 있는 것이었다. 그는 비닐봉지를 열고 똥을 버리고는 소독약으로 소독을 한 후 지퍼는 닫고 아무렇지도 않은 듯 샤워를 하는 것이었다. 그때서야 알 것 같았다. 그러니까 이 방은 각종 환자 죄수들이 수용되어 있는 곳인 것이다. 나 역시도 완전히 나은 상태가 아니기 때문에 이곳으로 온 것임을 알았다. 옆 친구도 환자 죄수고 위장에 문제가 있거나 항문에 문제가 있으면 대변을 볼 수 없으니 똥주머니를 차고 다니며 주머니에 똥이 차면 샤워장에서 쏟아내는 것이리라.

정상인도 교도소 생활이 어려운데 똥주머니를 항상 차고 다니면서 교도소 생활을 하니 얼마나 어렵겠는가. 측은한 생각이 들었다. 그러나 똥주머니를 차고 다니면서 무슨 놈의 죄를 지었는가 말이다. 살기 힘들어 마약판매원을 했으리라 추측해 보았다.

발에 부상을 당한 후 나는 몸이 많이 쇠약해진 것을 알았다. 특히 음침한 방에서의 생활과 탁한 공기 때문인 것 같았다. 그런데 이 방은 각종 환자들만이 있는 병동이라 더 환자가 되는 것 같았다. 어제부터 몸이 으스스 하더니 오늘 아침에는 열도 있고 기침도 나왔다. 감기가 악화되어 더 큰 병이라도 생기면 보통 어려운 일이 아니라는 생각이 들었다. 오늘은 의사가 오는 날이므로 감기 약이라도 타서 초장에 감기를 잡아야겠다는 생각으로 의사 사무실로 갔다.

벌써 사무실 밖에는 몇십 명이 긴 의자에 앉아 기다리고 있었다. 각자 이름을 부를 때마다 한 명씩 의사를 만나는 것이다. 한참 기다린 후 내 이름이 호명되었다. 나는 문을 열고 들어가며 인사를 했다. 그는 대답도 없이 나를 빤히 쳐다보더니 무슨 일이냐고 물었다. 기침 때문이라고 대답했더니 그는 인상을 쓰며 화를 냈다. 보기에 괜찮다는 것이다. 그의 말투와 인상이 얼마나 상대방을 무시하고 업신여기던지 속이 뒤틀리는 것 같았지만 지금 감기에 걸려 춥고 기침이 나오는 것은 거짓말이 아니라며 그에게 대들었다. 그리고 그에게 따졌다.

"내가 보기엔 너는 매번 환자들에게 무조건 화를 내고 사람을 차별하는 것 같은데 그렇게 해서 너에게 얻어지는 것이 무엇이냐? 고작 감기 약 몇 개 주는 것으로 그렇게 위세가 등등하고 사람을 무시하다니 나는 너를 이해할 수가 없다. 너 알고 있느냐? 사람이 미소를 짓고 웃으면 건강에 좋다고 하는데 너 같이 하루종일 화를 내며 환자를 대하면 네 건강이 어찌 되겠느냐? 환자에게 친절히 대하는 게 무슨 네 돈이라도 들어가느냐? 나도 두 달 전에는 평범한 사람이었어. 내일 일은 아무도 모르는 거야. 환자들한테 친절하게 하면 서로 행복해지고 건강해질 것이다."

나는 broken English로 열변을 토하며 그에게 충고를 했다. 왜냐하면 겨우 감기약 몇 개 못 받아 가는 것이 전부 일텐데 그까짓 감기약 몇 개 안 먹으면 죽기야 할까하는 생각에 오기가 생긴 것이다. 나의 열변을 다 듣고 난 그는 내 말이 옳다고 하면서 미소를 지어 보이며 약을 건네주었다.

"Take care of yourself." 나는 그에게 악수를 청했다. 그는 내 얼굴을 쳐다보며 일어서서 내게 악수를 해주었다. "Thank you, doctor."

여하튼 한결 이곳이 나에겐 편하다. 특히 이곳이 좋은 것은 따끈한 식당식사를 이곳까지 쟁반에 배달해주기 때문이다. 쟁반을 층층이 꽂아 그날의 음식을 담아 방까지 배달해주니 먼저 번처럼 서둘러 먹을 필요도 없고 여러 모로 아주 편했다. 재판이 다 끝날 때까지 이곳에서 있었으면 좋겠다는 생각이 들었다.

오늘 우리 방 앞문이 열리면서 7-8명이 죽 들어왔다. 그런데 우리 방에 있던 친구들이 그들을 보고는 '우~' 하고 좋아들 하는 것이다. 왜들 그런가 나도 궁금하여 그쪽으로 시선을 돌려보았다. 아, 그런데 이게 어찌된 일인가! 예쁘장한 백인 계집애들이 죄수복을 입고 우리 방에 있는 TV방으로 들어가는 것이다. 누가 봐도 영락없이 귀엽고 예쁜 계집애들이다. 오랜만에 여자란 동물을 봐서인지 더 예쁘게 보이는 것이다. 어느 계집은 가슴까지 아담하게 잘 부풀어 올라있다. 이들은 이 빌딩 안에 별도로 수감되어 있으면서 가끔 오락 시설 즉, TV를 보여주는 것이다.

옆 동료들이 연신 힐끔힐끔 쳐다보며 수군거렸다. 나도 궁금하여 그들에게 물어보았다. "저들이 계집애냐 아니면 호모냐?" 그런데 그들은 분명 얼굴이나 가슴까지는 여자인데 밑은 중성 아니면 남자라는 것이다. 물론 남자구실은 못하겠지만 말이다. 아니 그런데 보통 계집애들보다 더 예쁘지 않은가? 나도 모르게 이상한 마음이 꿈틀거렸다.

최초의 동양인 감방장

사고가 난지도 벌써 한 달이 지났다. 발은 다 완치되어 지팡이 없이도 두 발로 걸어다닐 수 있게 되었고 어느 날 다른 방으로 이감되었다. 새로운 방에 들어서니 수감자가 70여명은 족히 되어 보였다. 침대 번호를 찾아 침대를 대강 정리해놓고 침대 윗층 위에 앉아 새로운 방의 분위기부터 파악하기로 했다. 특히 눈에 띄는 것은 지금까지와는 달리 그런대로 흑인들이 많다는 사실이었다. 동양인은 5-6명 정도밖에 되지 않았다. 흑인들을 보니 그들은 역시 목소리하며 행동, 몸 동작 하나 하나가 요란스럽고 왁자지껄했다.

첫 날 저녁과 밤은 그런 대로 지났다. 오늘부터 분위기 파악을 해야했는데 유창한 영어를 구사할 수 없으니 눈치 9단으로 빨리 잘 파악해야 했다. 결론은 흑인들은 말과 행동이 거칠어 보여도 이곳에서도 열세였고 역시 멕시칸이 분위기를 잡고 있는 것 같은데 그 중 2명 정도가 감방 분위기를 잡고 있는 것 같았다. 지난번과 같은 실수를 해서는 안 된다고 다짐을 했다. 또 실수를 해 멕시칸들과 앙숙이 되면 탈출구멍이 없기 때문이다. 또다시 발을 부러뜨려도 오히려 자해한 것이 드러날 뿐 그 방법도 할 수 없기 때문이다.

재판이 모두 잘 끝날 때까지 이곳에서 잘 적응하여 하루라도 빨리 빠져나가야 되겠다고 생각했다. State Prison은 운동장도 넓고 식당음식도 훨씬 좋으며 지낼만하다고들 한다. 이동매점이 왔을 때 초콜릿을 몇개 샀다. 물론 나는 단 것을 별로 좋아하지 않지만 이곳에서 앞으로 초콜릿을 쓸 때가 있을 듯 싶어 몇 개를 사 두었다. 또 너무 많이 사 두어도 문제가 될 수 있다. 한꺼번에 다 먹을 수 없으니 매트리스 밑에 숨겨 두는데 이곳은 하나같이 강도, 도둑놈 등 범죄자들이기 때문에 초콜릿 역시 눈 깜짝할 사이에 벼룩의 간을 내어 먹듯 초콜릿도 훔쳐 가는 것이다.

나는 저녁 식사 후 초콜릿 하나를 들고 멕시칸에게 접근했다. 내 이름을 먼저 소개하고 그의 이름을 물었다. 그는 Francisco라고 자기 이름을 밝혔다. 초콜릿 하나를 꺼내주며 먹으라고 권했다. 물론 그에게 부담스럽지 않게 나도 하나 꺼내 먹었다. 이런저런 이야기를 하며 일단은 '나' 라는 사람을 소개했다. 역시 연고지가 없고 돈이 없는 많은 멕시칸들은 초콜릿 하나 사먹을 수 없는 형편이기 때문에 나는 그 점을 이용해 이곳에서는 귀한(?) 초콜릿으로 그에게 접근하는 방법을 이용한 것이다. 나는 언제든지 돈으로 사먹을 수 있으나 없는 자들은 더 먹고 싶을 것이기 때문이다.

이 친구는 감방을 제 집 드나들 듯 하는 단골 손님인 듯 하였다. 싸움을 해서 잡혀 들어왔다고 하는데 큰그릇은 물론 아닌 듯 싶다. 그는 청소부터 배급 등 사소한 권한을 갖고 있지만 먼저 멕시칸 마피아와 같이 살기 있는 눈동자는 분명 아니다. 이 친구를 사귀어 두는 것은 앞으로 70~80명과 같이 생활하려면 별의별 인간들이 다 있기 때문이다. 나를 비롯해 이곳에 있는 사람들은 평범한 사람과는 어딘가 다른 면들이 있는 사람들이다. 그들과 같이 앞으로 몇 달, 몇 년을 같이 지내야만 하기 때문이다. 특히 무식한 자들이 새로 들어와 떠들고 설치고 다니며 싸움질이나 하려 들기 때문이다. 나의 욱하는 성격이 언제 사고를 칠지 모르는데 내 편에서 나를 대변해 줄 멕시칸 친구가 절실히 필요하기 때문이다. 다시는 사소한 일에 나의 목숨을 담보로 내걸고 싶지는 않기 때문이다.

이곳은 하루에도 보통 2-3명씩 나가고 들어온다. 그때마다 여간 신경이 쓰이질 않는다. 범죄 집단소굴이기 때문에 그들의 겉만 보고는 알 수 없다. 그래도 항상 과반수 이상이 멕시칸이니 후란시스코의 도움이 나에겐 절실히 필요하다. 우선 새로운 자가 들어와 설치고 다니면 후란시스코에게 가서 부탁을 먼저 한다. 첫째, 그들에게 이곳은 조용한 곳이라는 것을 명심시키도록 한다. 사실 이곳에 있는 사람 대부분이 조용한 것을 절실히 원하고 있다. 그러나 미꾸라지 한 마리가 물을 흐려 놓듯이 무식한 한 놈이 들어와 떠들고 설치고 싸움질하면 금방 분위기는 소란스럽고 험악해지는 것이다. 모두들 신경이 예민하여 악에 받혀 있기 때문이다.

그 동안 나는 여러 개의 초콜릿과 치약, 비누 등을 그에게 투자했고 매너 있는 내 행동과 위엄에 그도 나를 신뢰하고 좋아하게끔 되었다. 즉, 첫 번째 후란시스코를 통해 좋게 충고를 하게끔 한다.

보통은 그의 충고에 다들 순순히 따라준다. 후란시스코는 나이도 40대 초반인데다 감방 경력도 있고 영어도 유창하여 교도관들과도 잘 통한다는 것을 모두들 알기 때문에 그쯤에서 모두 일이 순조롭게 끝났다.

그러나 무식한 놈이 혹 들어오면 시끄럽기 시작하는 것이다. 그때 나는 믿거나 말거나 후란시스코를 대동하고 나선다. 왜냐하면 먼저 번에도 나를 소개했지만 동양인으로 중년 나이에 당당한 체력에 그들은 내가 무술 유단자쯤으로 생각했기 때문에 섣불리 내게 덤벼들 자가 많지 않다는 것을 나는 잘 알고 있기 때문이다. 그리고 간이 크지 않고서는 그렇게 당당한 태도를 보일 수 없기 때문이다. 또한 나는 이곳에 들어온 후에도 한쪽 구석에서 비밀병기 무기 호신술을 열심히 연습하기 때문이다. 또한 저녁 후에는 일부러 윗통을 벗고 두 손가락으로 바닥을 짚고 팔굽혀펴기를 10번을 거뜬히 해치우는 시범을 보였기 때문이다.

나의 전법은 앞으로 이곳에선 누구와도 싸우지 않고 상대방을 제압하는 것이 진정한 승리자라는 것을 터득하였기 때문이다. 또한 나는 후란시스코에게만 태권도 검은 띠라고 과장되게 말해두었기 때문이다. 시키지 않아도 이 소문은 퍼져나가리라 계산해 두었기 때문이다. 때문에 어느덧 이 방에서는 후란시스코와 내가 나서면 이곳에서 천하장사도 꼬리를 내리게끔 되어있었다. 즉, 어느 누구도 싸움까지는 하려고 들지 않는 것이다. 바보가 아닌 이상 그들 생각에 싸움에서 승산이 없기 때문이다.

또한 이곳 감방에선 설깡이 통하지 않는 곳이다. 선불리 실력도 없으면서 한국식 오기를 부렸다가는 이놈 저놈한테 개뼈다귀 터지듯 터져 죽을 수도 있는 곳이다. 각종 인종들이 섞여 있어 특히 다른 인종에 대한 불신의 골이 깊게 파여 있기 때문에 조심해야 할 곳이다. 한 마디로 요약하면 너무 강해도 너무 약해도 힘든 곳이 미국 교도소인 것 같다.

하루는 저녁 후 공중전화 앞에서 왁자지껄하며 싸우는 소리가 들렸다. 공중전화는 저녁식사 후 6-7시 사이 한 시간 동안만 사용할 수 있기 때문에 어느 때는 줄이 길어 가끔 사소한 문제가 생기곤 했다. 식사 후 선착순으로 전화기 앞에 미리 줄을 서서 기다리다 전화벨이 떨어지면 첫 번째부터 순서대로 전화를 할 수 있는 것이다. 그런데 가끔 무식한 놈들이 자기 집 인양 착각하고는 꽥꽥 소리를 지르고 오랫동안 혼자서 수화기를 붙들고 있으면 뒤에서 기다리는 사람이 화가 나서 불평을 하게되고 십중팔구는 다툼이 시작되는 것이다.

나는 이럴 때 후란시스코에게 가서 진정시키라고 시키고 그는 스페인어로 설득을 한다. 그런데 한번은 먼발치에서 보고 있노라니 이 놈이 후란시스코 어깨를 밀치고는 스페인어로 욕을 해대는 것이다. 나는 그들을 보고 있다가 서서히 발동이 올랐다.

"들어온 지도 얼마 안 되는 놈이 왜 이렇게 설치는 거야?" 하며 나섰다. "What's up man?" 그러나 그는 대뜸 내게 욕을 해댔다. 나에게 욕을 하는 동시에 두 손으로 내 어깨를 밀어 부치려 들며 두 손을 내 어깨에 내밀었다. 나는 바로 이때다 싶어 그의 한 손을 잡아채며 그의 어깨와 허리를 휘어 감는 동시에 엎어 치기로 콘크리트에 허리가 부서지도록 꽂아 박았다. 물론 나는 이 모든 행동을 미리 계획하고 있었던 것이다. 또한 유도와 레슬링을 했기 때문에 그 정도 실력은 누구나 별 어려움이 없이 할 수 있는 것이다. 나는 개구리 뻗듯이 죽 뻗은 놈을 다시 순간적으로 그의 한 팔을 휘감고 내 사타구니에 끼고 뒤로 넘어지며 그의 팔 관절을 꺾었다. 이 정도 꺾기는 유도를 해본 사람들은 기본동작인 것이다.

그러나 모르는 사람들은 이 모든 동작에 감탄할 수밖에 없는 것이다. 특히 유도를 구경도 못한 많은 멕시칸들에게는 환상의 매직쇼나 다름이 없는 것이다. 그는 다시 소리를 질렀고 나는 그의 팔을 풀어 주었다. 그러나 완전히 그의 팔을 꺾어 버리면 이 또한 큰 문제가 될 수 있다는 것도 계산해 두었던 것이다. 7-8일 정도 오른손을 못 쓸 정도로만 꺾어 놓고 손을 털털 털며 일어섰다.

저녁식사 후 할 일없으니 싸움구경이라면 얼마나 좋아들하랴. 아마도 모두들 모여 구경을 했을 것이다. 작달막한 동양 놈이 우락부락하게 생긴 멕시칸 친구를 순식간에 넉 아웃 시켜버렸으니 내가 보기에도 그들 눈이 휘둥그래지는 것 같았다.

나는 나의 침대로 돌아왔다. 후란시스코는 나를 따라오며 괜찮으냐고 물었다. 나는 나도 모르게 위엄을 떨고 있었다. 이 일이 있은 후 우리 방 분위기는 완전히 바뀌게 되었다. 특히 후란시스코의 권력이 눈에 띄게 한 단계 업그레이드 된 것이다. 그들의 눈으로 모든 것을 직접 목격했기 때문이다.

미국 감방의 좋은 점이라고 할까 아니면 단점이라고 할까. 일단 저녁을 먹인 후 인원 점검이 끝나면 십 여 개 감방 한 쪽 구석에 단 한 명만이 사무실 속에서 형식상으로 감시를 하고 있기 때문에 여기저기 방에서 벌어지는 상황을 그들이 알 수는 없다. 사무실에서 제일 가까운 방이나 그런 대로 보일 뿐 구석구석 보일 수가 없다. 한 마디로 자율에 맡기는 것이다.

그러니 닭싸움 같은 것은 수시로 일어나게 되어 있다. 나는 후란시스코에게 부탁하여 내 자리를 한 쪽 구석 명당 자리로 옮겼다. 후란시스코는 교도관과도 잘 통해 자리 하나 옮기는 것쯤은 그리 어렵지 않기에 나는 이번 기회에 좀 더 안락하고 조용한 곳으로 옮기면서 후란시스코를 내 옆으로 오게 끔 하였다. 나는 이제 완전히 감방장이 된 기분이었다. 물론 후란시스코 역시 나와 같이 가까이 있는 것을 너무 좋아하는 것 같았다. 나는 흑인을 만나거나 멕시칸을 만나거나 동양인, 백인을 만나거나 반갑게 인사를 나눴다. 이곳에 있는 모든 인종에게 항상 먼저 인사를 건네서 그들도 나를 존경하는 것이 나의 목적이다. 나는 동양인으로서 최초로 미국감방장이 된 기분이다.

앳된 얼굴에 귀엽게 생긴 동양인이 오늘 새로 들어왔다. 비 맞은 생쥐 모양 구석에 처져 슬금슬금 분위기 눈치를 보는 것이 내가 보기에 여간 안쓰러워 보이질 않았다. 또 같은 동양인이라 관심도 갔다. 나는 그에게도 초콜릿을 하나 들고 가 건네주며 말을 걸어보았다. 누구 하나 거들떠보지도 않는 그에게 초콜릿을 건네주며 말을 걸으니 여간 반가워하는 눈치가 아니다. 우선 어느 나라냐고 물으니 베트남인이라고 한다. 어떻게 하다 이곳에 왔느냐고 물어보니 친구와 싸웠는데 칼로 찔렀다는 것이다. 칼로 상대방을 찔러 상처를 입혔다면 몇 년은 족히 감옥생활을 해야 할텐데 젊고 애 띠고 혈기왕성한 이 아이가 과연 어떻게 형기를 잘 마치고 사회에 다시 나가게 될지 보지 않아도 눈에 선했다.

젊고 어리니 주위에는 항상 여러 가지 조건으로 치근덕거리는 무리들이 있게 마련일텐데 경험 없는 젊은 이 친구가 어떻게 잘 풀어 나가는지에 따라 그의 인생이 달려 있는 것이다. 나 같은 중년도 벌써 몇 번은 싸움에 말려들었는데 지금은 쪼그리고 앉아 있는 가련한 친구로 보아주지만 조금 지나면 타의든 본의든 자꾸 말려들게 되어있으니 걱정이다. 특히 동양인은 흑인과 멕시칸 사이에 끼어 찬밥 신세라 이리 채이고 저리 채이고 쉽게 부서지게 되어있으니 말이다. 그리고 쉽게 성폭행을 당하게 되어 있다.

힘없는 앳된 젊은 동양인은 그들에게 예쁜 계집애로 보일 수도 있는 것이다. 또한 누구든 상대방이 때리면 반항하게 되는 것은 인간의 본능인데 반항을 하다보면 소란스러워지고 소란스러우면 교도관에게 들키게 되어있다. 들키면 벌점이 가산되어 재판 과정에서부터 석방될 때까지 기록이 따라다니게 되어있다. 또 젊은 아이들은 갑자기 변한 충격적인 면에 육체적, 정신적으로 골병이 들어 쉽게 정신병자가 될 수도 있는 것이다. 밖에서 정신병에 걸리면 초기에 빨리 최선을 다해 병을 고치기 때문에 완치 확률도 높겠지만 교도소에서는 고질병이 되어 치료 불가능이 되도록 굳어 버리게 될 수도 있는 것이다.

우리 한인타운이나 여러 곳에서 젊은 사람들은 세상 무서운 줄 모르고 영웅심리에서 무기를 들고 패싸움이나 범죄에 가담하는 것을 TV나 신문을 통해 종종 보게 되는데 정말 안타까운 일이 아닐 수 없다. 그들은 한인타운에서 알아주는 꼴통임을 자칭하는데 길거리에서 막노동하거나 마약을 팔다가 잡혀온 무식한 멕시칸 아이들도 이곳에 들어오면 동양인은 우습게 보는 꼴통 중에 꼴통인 것이다. 오히려 그들은 똘똘 뭉쳐있기 때문에 이곳에선 그들에게 잘못하면 얻어터질 수밖에 없다. 즉 개밥에 도토리 신세가 되는 것이다.

특히 동양의 젊은 갱들은 거의 동양인끼리 싸우는 걸로 알고 있다. 같은 동양인끼리 서로 뭉쳐 다른 종족에게 대치는 못할 망정 같은 민족끼리 주로 패싸움이나 구타, 우쭐대는 것이다. 정말 이해가 안 간다. 객기를 부리려면 멕시칸 동네에 가서 그들 Gangster들과 맞짱을 뜰 것이지 왜 한인타운에 와서 강도, 강간, 도둑질이나 하는지. 별 볼 일없게 생각하는 멕시칸에게 얻어터지면서 왜들 같은 동양인끼리 아니면 같은 한국 젊은이들끼리 죽기 살기로 싸우는지 안타깝다.

미국에서는 한 번 범죄에 가담하면 이래저래 완전히 빠져 나오기가 힘이 든다. 또한 몇 년형으로도 평생을 감옥에서 보내는 젊은 사람들이 생각보다 너무나 많다. 우리 부모 입장에서도 자식이 아예 죽었다면 시간이 흐르면 잊어버릴 수도 있겠지만 평생 감옥에서 보내는 자식이 있다면 자식보다 더 고통스럽게 평생을 보내게 되는 것이다.

나도 학창 시절엔 한 때는 조직건달 클럽을 조직하여 백 여명의 후배도 거느려 본적도 있고 탈선도 해보았지만 한국에선 그것이 별로 흉이 되거나 출세에 아니, 인생에 큰 지장이 없는 것 같다. 왜냐하면 그때 나와 어울리던 건달클럽 멤버들이 이제는 친목단체로 매달 한 번씩 만나며 우정을 다져가고 있기 때문이다. 즉, 낙오자가 별로 없다는 것이다. 그러나 미국은 분명 다르다. 특히 아이들이 거의 다 자란 상태에서 미국에 이민을 와서 특별히 뛰어난 기술이나 자본이 없으면 결국 한인타운에서 일자리를 찾게 되고 겉돌게 되는데 이때 그들의 자녀들은 더 심각하게 방황하게 되고 학교에 적응을 못하게 되는 것이다.

특히 한국에서 끼가 있는 젊은 학생들은 결국 코드가 맞는 자기 또래를 찾아 나서게 되고 그들과 같이 어울리다보면 쉽게 마약이나 무기를 손에 쥐게 되는 것이다. 이때는 이미 손을 쓸 수가 없게 되고 마는 것이다. Too late!! 그때마다 그들 부모들은 우리 아이는 착하고 순수하고 효자였었다고 그들을 대변하는 것을 볼 때마다 나는 너무나 안타까울 뿐이다.

예쁜 여인들

저녁 후 자유시간이었다. 새로 들어온 멕시칸 친구가 옆으로 지나가니까 '으흠~' 하며 모두 낄낄거렸다. 평범한 멕시칸인데 왜들 이러나 하고 후란시스코를 불렀다. "왜 저러냐? 호모야?" 나의 질문에 그는 웃으면서 계집애 걸음걸이를 흉내내며 걸어갔다. 관심을 갖고 자세히 보니 역시 걸음걸이가 달랐다. 밖에서는 남다른 옷차림과 옷을 입거나 행동때문에 금방 알아볼 수 있으나 이곳에선 죄수복을 똑같이 입으니 자세히 보기 전에는 잘 알 수 없었다.

그는 피곤했는지 들어오자마자 수건 하나를 들고 샤워장으로 갔다. 옆 친구들이 나에게 따라 들어가라며 농담을 한다. 초콜릿 하나주면 벌려줄 것이라며 배꼽들을 잡는다. 나는 그들과 맞장구를 치며 내가 초콜릿 하나를 너에게 줄 테니 갖다주고 한 번 하고 오라며 농담을 했고 우리는 서로 배꼽을 잡고 웃었다.

여하튼 그가 이곳에 온 후 분위기가 좋아진 것 같았다. 이튿날 후란시스코가 나에게 슬며시 와서 저쪽 구석을 보라는 것이다. 그곳을 쳐다보니 침대에 한 놈이 누워있고 그 놈이 한 손으로 성기를 꺼내 잡고는 입으로 힘차게 애무하고 있었다. 구강섹스를 해주는 것이다. 또한 나는 그들 행위를 억압할 권한도 없고 솔직히 말리고 싶지도 않았다. 왜냐하면 신기하게 나의 아랫도리가 빳빳해 지는 것이다. 참! 이제 먹고 살만하니까. 인간 본능이 되살아 나는 것일까. 기뻐해야 할까 슬퍼해야 할까 아니면 창피해야하는 것일까?

허기야 거의 많은 수감자들이 기약도 없이 컴컴한 감방에서 세월을 보내고 있으니 뭔가 소일거리를 찾아야만 한다. 그래서 갖가지 추한 행동이나 농담도 즐길 수밖에 없는 것이다. 심지어는 면도기를 부셔 얇은 칼날을 빼어 칫솔대로 작은 조각을 만들기도 하는데 어느 날 한 친구가 환기통 옆에서 면도기 손잡이를 태우고 있는 것이다. 환기통 옆에서 무엇을 태우면 모든 연기가 빨려 나가기 때문에 웬만한 것은 소각시켜도 실내에 연기 하나 없이 태울 수 있기 때문이다. 그는 면도기 손잡이를 태운 재를 모아 올리브 오일에 섞어 면도기 손잡이에 작은 바늘(책에서 빼어낸 가는 철사)을 불에 달구어 꽂았다. 그것으로 그는 문신을 한다는 것이다.

초콜릿 2개면 작은 무늬의 문신을 해주겠다고 했다. 나는 가슴에 작은 호랑이를 그리려면 얼마냐고 물었고 그는 견본이 없어 그런 것은 할 수 없다고 한다. 나는 농담이라며 괜찮다고 했다. 그는 펜으로 살갗에 글자나 그림을 대강 그린 다음 그 그림을 따라 한 쪽부터 칫솔 대에 꽂은 침으로 피부를 찍어 내리며 약간 피가 나오는 것은 T-셔츠 조각으로 닦고 그곳에 까만 플라스틱 재와 오일을 섞어 만든 물감을 발라 피부 속으로 스며들게끔 찍어주는 것이다.

이렇게 열악한 환경에서 소독도 없이 문신을 해도 보통 일주일이 지나면 완전히 아물어든다. 그러나 혹 염증이 생기는 친구도 보았는데 이런 곳에서는 문신을 새겨주며 초콜릿을 받아먹는 친구나 초콜릿을 주고 문신을 새기는 친구들 모두 얼마나 무지하고 두뇌가 모자라는지 그런 건 상관도 없다. 이런 점이 미국감방생활이 한치 앞을 내다볼 수 없는 위험한 곳이라는 것이다. 오염이 된 것인지 감염이 되는 것인지 그들은 알지도 못하고 또 신경도 쓰지 않는다.

좀도둑이 횡행하는 곳도 바로 여기다. 세 살 버릇이 여든까지 간다고 멀쩡하게 생긴 놈들인데 옆 사람이 보는 데도 운동화를 바꿔치는가 하면 매트리스 밑에 넣어둔 초콜릿을 훔쳐먹는 놈, 비누, 담배 등도 눈 깜짝하면 없어진다. 이런 좀도둑은 유별나게 열이면 아홉 모두 멕시칸들이다. 특히 이곳에서 태어나거나 1.5세 멕시칸이 아닌 멕시코 본토인들이다. 그게 국민성인 것 같았다.

멕시코와 한국축구 전에서도 관심있게 보면 알 것 같다. 상대방이 반칙을 했을 때 우리선수들은 정말 심하게 고통이 왔을 때나 다리를 잡고 고통을 호소하고, 일어나더라도 한참 절룩거리게 된다. 그만큼 아픈 것이다. 그런데 멕시코 선수들은 혹 우리 선수들의 반칙으로 넘어지면 다리를 잡고 죽는시늉을 하다가도 반칙 판결이 나오면 언제 그랬냐는 듯 벌떡 일어나 뛰는 것을 많이 봤다. 가장 신사적이어야할 운동하는 국가대표들도 거짓이 몸에 베어 있으니 이런데 들어오는 사람들은 말할 필요도 없을 거라는 생각이 들었다. 허기야 수시로 나가고 들어오다 보니 별의별 놈이 다 있다.

감방 주(酒) 만들기

오늘은 무슨 재미있는 일이 없나 하고 있는데 후란시스코가 오늘부터 술을 담아보자는 것이다. 새로 들어온 친구가 술을 만들 줄 안다는 것이다. 어떻게 술을 만든단 말인가? 나는 그에게 반색을 하며 물었다. 그의 말로는 여러 명의 도움이 필요하다고 했다. 물론 어려운 것은 아니다. 우리가 식당으로 밥을 먹으러 갈 때는 항상 몸수색을 하지만 식사 후 다시 방으로 돌아올 때는 몸수색을 하지 않는데 그걸 이용하기로 한 것이다.

충분히 식사시간을 주지 않기 때문에 많은 친구들은 과일이나 빵 조각, 설탕, 비스킷 등을 일어나면서 주머니에 넣고 방으로 와 먹는 친구들이 많기 때문이다. 물론 이 정도는 교도관들도 알고 있으면서 눈감아 주는 것 같다. 나는 각자에게 분담하여 설탕 봉지(커피가 나올 때 아침에 2개씩 배급해준다), 과일 그리고 제일 중요한 빵을 가지고 오라고 했다. 그런데 빵은 될 수 있는 대로 빵 가장자리 부분이 필요하다는 것이다. 이유는 빵을 부풀게 하는 이스트가 가장자리 부풀지 않은 부분에 많이 남아있기 때문이란다. 즉 그게 술이 발효할 때 꼭 필요한 재료라는 것이다. 또한 설탕이 발효가 되어 알코올이 된다는 것이다. 과일은 맛과 향기가 있으며 발효에 조금 도움이 된다는 그들의 원리였다.

우리는 이틀 동안 열심히 재료를 모았다. 그런데 어디다 술을 담그랴? 용기는 이곳에서 사용하는 물비누 플라스틱 통이다. 1갤런 통이라 그거면 충분한 것이다. 비누통은 물로 깨끗이 닦고 그 속에 빵 조각, 과일, 설탕을 채우고 물을 채워 흔들어 마개를 살짝 막은 후 샤워장 구석에 놓으면 되는 것이다. 물론 샤워장이 가장 안전하지만 더 큰 이유는 수시로 샤워를 하기 때문에 샤워장 안에는 항상 온기가 있어 다른 곳보다 훨씬 발효가 잘 되기 때문이다.

일주일이 지났다. 모두들 궁금하고 안달이 나서 빨리 개봉하자고 재촉들을 한다. 이곳에서 포도주 파티를 멋지게 하자는 것이다. 성화에 못 이겨 그 친구는 일을 시작했다. T-셔츠 하나를 가지고 오라고 하더니 두 명이 양쪽에서 T-셔츠를 벌리고 섰고 T-셔츠 밑으로 컵을 준비하고 위에서 조금씩 부었다. T-셔츠는 훌륭한 여과장치 역할을 하고 있었다. 컵으로 받아 맛을 본 한 친구가 "Good! Good!" 하며 또다시 컵으로 받아 옆 친구에게 넘긴다. 돌아가며 모두들 맛을 보았다.

나도 한마디 거들었다. 달짝지근해 먹을만했다. 옆에 있던 한 친구가 술에 취한 척 해롱거렸다. 모두 그를 따라 해롱거리며 술에 취한 척하며 한바탕 웃음바다가 되었다. 오늘은 그나마 미소를 지으며 잠을 이룰 것 같다. 감방 안에서 술을 만들어 먹을 수 있다니!

3

기적의 재판

나를 살려준 은인, 변호사

'여보! 내가 사람을 죽였오. 이제 모든 게 끝이 났으니 아이들 데리고 언니 쪽으로 가서 살아요. 나를 포기하고. 나는 죽은 몸이니까 잊어버려요.' 이렇게 울부짖고 신음하던 때가 엊그제 같은데 벌써 석 달 반 정도가 지났다. 나는 물론 이곳 미국에 피붙이라고는 하나도 없다. 단지 처가 쪽으로 아내의 언니와 오빠가 한 분씩 있는데 두 분 모두 막내 여동생인 내 아내를 끔찍이 사랑한다. 그래서 한때는 불만도 많았었다.

장모님이 늦둥이로 40이 훨씬 넘어 막내딸을 얻어 사랑으로 오냐오냐 키우다보니 마음이 착하고 연약하다. 30년을 같이 살면서 남편의 욱하는 성깔에도 말대꾸 한번 하는 일없고, 아이들에게도 욕 한번 하는 것을 들어본 적이 없다. 사기꾼에게 사기를 당하고도 돈을 돌려 달라는 말도 제대로 못하는 사람이다. 그러나 처형은 생활력도 강하고 재산도 있어서 나는 언뜻 언니 쪽으로 가라고 할 수밖에 없었다.

혼자서 아이들 키우고 먹고는 살겠지만 피해자 가족들의 협박이나 이미 살인자 가족임이 커다랗게 드러난 이상 나는 처형에게 내 아내와 아이들을 맡길 수밖에 없었다. 그래서 변호사고 뭐고 돈들이지 말고 내 곁을 떠나가라고 했다. 그 동안 천사 같은 아내에게 아프게 말도 막하고 억울하게도 많이 하여 이제는 편하게 살게 하고도 싶었다. 그리고 무엇보다도 나 때문에 그 나이에 그런 고통과 수모를 당하고 병까지 생겼으니 나는 더 이상 아내를 볼 면목이 없었다. 그리고 자식들 데리고 혼자 살기도 힘든데 나까지 연약한 아내에게 처분을 기대하기는 내 마지막 남은 자존심이 용납이 안되었다.

'어휴 병신! 답답해. 뭘 알아야지! 착한 게 밥 먹여 주냐?' 생각해보면 그 동안 나는 아내에게 너무나 많은 언어학대를 했고 그래서 그 죄책감에 더욱 나에게서 풀어주고 싶었다. 그러나 아내는 나의 간곡한 부탁에도 불구하고 자기 오빠와 언니에게 사건 경위를 말씀드리고 사고처리 수습에 나선 것이다. 이제 와서 누구의 잘잘못을 제쳐놓고 우선 살아있는 사람부터 살려야겠다는 지론이다. 아내는 오렌지카운티에서 오랜 경험이 있는 박 변호사를 찾아가서 자초지종을 상의한 모양이었다. 그 변호사는 이미 사건이 크게 벌어졌으니 최선을 다하겠지만 자신과 가까운 유태인 변호사와 같이 일을 하면 커다란 도움과 좋은 결과가 나올 수 있으니 이번 사건에 같이 일을 하도록 해달라고 했다는 것이다.

그런데 엄청난 비용이 문제였다. 그러나 사람 낳고 돈 낳지 돈 낳고 사람 나은 것이 아니지 않느냐, 살아있는 사람부터 살리고 보자, 처가 형제들의 도움과 격려로 두 변호사가 사건을 같이 맡기로 합의했다는 것이다. 변호사들이 첫 번째 할 일은 내 보석금 문제를 매듭짓는 일이다. 내 사건은 검찰 측에서 보기에도 내 스스로 자수를 했고 개인사업을 하고 있으며 재산도 있고 해서 50만 불로 재판장에게 건의를 한 것이다. 그러나 우리 변호사 팀은 50만 불은 너무 많으며 가족과 재산이 모두 이곳에 있고 도주의 위험이 없으니 25만 불로 줄여달라고 간청을 했다고 한다.

하루는 박 변호사가 변호사 전용 면회실로 나를 불러냈고 우리는 단 둘이 마주 앉았다. 사건 경위를 솔직하게 다 이야기 해달라는 그의 청이었다. 그래야 그들이 그 사건에 대응하여 일을 할 수가 있으니 솔직하게 모든 것을 듣고 싶다는 것이다. 그날 나는 모든 것을 솔직하게 털어놓았다. 사람을 죽일 만큼의 심정을, 아내에게도 다 말할 수 없던 마음을 털어놓으니 마음이 후련했다. 남자대 남자로 박 변호사는 나의 그 당시 마음을 헤아리고 계셨다.

내 이야기를 다 듣고 그는 결론을 내린 듯 앞으로의 재판 변호 과정은 전적으로 자기들을 믿으라고 하며 내게 안심을 시키셨다. 그러나 분명한 것은 현행살인범 또한 본인 스스로 살인을 했다고 이미 경찰에 자수를 했기 때문에 아무리 변호를 잘해도 무죄석방은 될 수 없다고 하셨다. 물론 나는 그 말씀에 동의했다.

변호사의 의견은 보석금을 낮추기 위해 시간과 돈을 낭비하기보다는 최대한 재판을 빨리 끝나게끔 하는 것이 더 현명한 방법이라는 것이다. 그래서 보석금을 25만 불로 낮추기 위해서 최소한 법정을 한 두 번 더 열어야되며 그에 따른 비용도 더 들어가게 된다는 것이다. 또한 25만 불로 낮춘다하더라도 10분의 1 즉, 2만 5천불은 법원에 현찰로 디파짓을 해야 되며 재판이 끝나더라도 그 돈은 되돌려 받을 수가 없다는 것이다. 만약 25만 불의 현찰이 있으면 25만 불을 다 내고 재판이 끝날 때까지 내가 아무 사고(도주)가 없으면 25만 불을 돌려 받는다는 것이다.

그러나 집에서 출퇴근하며 재판을 받을 뿐 무죄가 보장되는 것은 아니고 다시 감옥에 들어간다는 것은 기정 사실이라고 한다. 그렇다면 현찰 25만 불도 없을 뿐 아니라 또한 10분의 1인 2만 5천불을 내고 4-5개월 후 재판이 끝나면 2만 5천불은 날리고 다시 감옥에 가야 된다는 것이다.

나는 당장 내가 석방이 되어야 만이 우리 가족이 살길이라면 몰라도 그런 무모한 짓을 할 필요가 없다고 생각했다. 내가 지금까지 직접 경험해서 알고 있기도 하지만 사실 이런 곳은 나가고 기다리고 하는 것이 얼마나 힘든 일인지를 잘 알고 있기 때문이다. 그래서 결론은 '보석금에는 신경 쓰지 맙시다' 로 결론지었고 그날 박 변호사와 굳은 악수를 나누고 헤어졌다.

견우직녀처럼 만난 아내의 면회

아침 식사 후 오늘도 어떻게 보내나 공상과 망상에 빠져 있는데 마이크로 내 이름이 호명되었다. 나는 처음이라 얼떨떨해 긴가민가하고 있는데 옆 친구들이 내 이름을 알아듣고는 “Mr. Lee, they called your name.”하며 나가라는 것이다. 복도에 나가니 다른 방에서도 한 두 명씩 나와 모두 4명이 되었다. 간수들의 지시에 따라 모두들 몸수색을 한 후 면회장으로 갔다. 거기는 이미 4-50 여명이 기다리고 있었고 각자 이름이 호명되면 면회장으로 나가 기다리고 면회 온 사람들도 그의 순번에 따라 면회장으로 들어오는 것이었다.

변호사 면회실과는 전혀 다른 철사 망 유리창을 사이에 두고 수화기로만 대화할 수 있는 면회장이었다. 또 수화기와 수화기 사이를 약간 칸을 막아 놓아 한꺼번에 다섯 명씩 밖에 전화 면회를 할 수 없었다. 드디어 내 이름이 호명이 되었다. 떨리는 마음으로 Box 수화기 앞에 앉으니 아내의 모습이 보였다. 슬픈 표정보다는 웃는 아내의 모습이 더 잘 어울렸다. 아내는 엷은 미소를 지으며 내 앞에 수화기를 들고 앉았다.

"Jim 아빠!"

"Jim 엄마" 나는 아내의 목소리를 듣고 그 동안 참아왔던, 가슴속에 묻어 두었던 눈물이 확 쏟아지고 말았다.

"여보!" 나는 더 이상 말을 이어갈 수가 없었다. 마음을 안정시키고 주먹으로 눈물을 닦아낸 후 겨우 말을 이었다.

"아이들은?"

"다 잘 있어요."

"아이들도 알고 있나?"

"네, 커다란 사건이라 알고 있어요. 그러나 자세한 사건 경위는 몰라요."

그들에게 뭐라고 말을 해야할까. 살아나간들 자식들 앞에서 어떻게 머리를 들고 살수 있을까. 불쌍한 자식들. 나의 머리는 갑자기 무거워 견딜 수가 없었다.

변호사 선임과정과 앞으로의 재판과정을 이야기하고 나니 벌써 시간이 다 되었다고 수화기를 통해 신호가 오는 것이다. 처음으로 만난 아내와 손 한번 잡아보지 못하고 헤어져야만 하는 것이다. 아내가 일어나면서 "다음 주엔 전도사님과 같이 올 거예요. I love you." 하는데 나는 가슴이 찢어졌다. 마음이 얼마나 아픈지 그저 눈물만 뚝뚝 흘리며 아내의 뒷모습을 멀리하고 돌아섰다. 불쌍한 여인! 남편 잘못 만나 파란만장한 삶을 살아가야 할 가엾은 여인!

방에 돌아온 나는 얼굴까지 담요를 뒤집어쓰고 소리도 못 내고 엉엉 울었다. 울고, 울고 또 울어도 눈물이 멈추질 않았다. 평생 처음 그렇게 실컷 울었다. 아내가 면회 온 이후로 나는 나도 모르는 사이에 울보가 되어 버렸다. 어린 두 아이들 얼굴만 생각하면 가슴이 미어지고 눈물샘이 터지는지 한도 끝도 없이 눈물이 난다. 그들 가슴에 너무나 큰 상처를 남긴 것이 아빠로서 제일 힘이 들었다. 10살, 13살 그들에겐 아빠가 절실히 필요한 때인데 못난 아빠는 앞으로 그들과 만남이 몇 년이 걸릴지 현재로선 기약할 수 없으니 숨이 막혀오는 건 당연지사다.

10년, 20년 아니면 영원히 자유롭게 그들과 만날 수 없으니 생각하면 심장이 끊어지는 듯 아프다. 그들의 외롭고 허전한 가슴을 누가 위로해주고 치료해 줄 것인가? 흑흑 대며 다시 흐느꼈다. 이 작은 몸 속에 눈물이 한도 끝도 없나보다. 어쩌다 이지경이 되었는가? 왜 살인자가 되었는가? 내 자신이 너무나 미워진다. 아버지! 어머니! 그 동안 잊고 살았던 부모님 얼굴이 떠올랐다. 눈물이 너무 많이 빠져나가 가슴이 뻥 뚫린 가운데 어느 새 일주일이 지났다.

얼마 후 다시 나의 이름이 호명되어 면회 장소에 나갔다. 면회 Box에서 기다리니 생전처음 보는 중년 초반의 여자 한 분이 나에게로 와서 수화기를 든다. "안녕하세요? 형제님. 저는 ○○교회 정 ○○전도사입니다. 고생이 많으시죠? 형제님 아내와 같이 왔어요. 그런데 한 번 면회 때 한 사람만 가능하다고 해서 아내 분이 저를 밀어 넣어 제가 들어왔어요. 형제님, 우리 인간은 모두가 죄인입니다. 죄인인 것은 누구보다도 자기 자신이 너무나 잘 알고 있지 않습니까? 누가 누구를 손가락질 할 수는 없습니다. 형제님! 예수님은 당신을 사랑하십니다. 형제님, 오늘 가슴속으로 예수님을 구주로 영접하십시오. 그러시면 모든 사람에게 용서를 받으실 수도 또 용서하실 수도 있습니다."

나는 그러나 아직도 마음 문을 꼭꼭 닫고 있었다. "전도사님 감사합니다. 이렇게 어려운 발걸음을 해주셔서. 생각해 보겠습니다." 솔직히 일주일 동안 눈물로 지내온 나로선 전도사님보다 아내가 더 보고 싶었다. 나에겐 지난 번 아내가 천사같이 보였기 때문이다. 그간 지금같이 아내를 천사로 보아주고 감싸고 이해하고 덮어주고 토닥거려주고 부족한 것은 채워주고 안아주고 사랑해 주었었다면 얼마나 좋았을까! 정말로 부끄럽고 미안하고 후회스러웠다. 나는 전도사님과 대강 대화를 나누고 헤어졌다. 그 후 한번 더 오셨지만 강팍한 나의 마음은 끝내 열리지 않았다.

옹달샘

습기 베인 능선 지나

향기로운 계곡에 묻히면

세상 미운 사람 하나도 없네

하늘이 주신 나의 보배

계곡의 옹달샘

나만의 옹달샘

초장에 누워 계곡에 묻히면

짜릿한 환상의 세계

조여오는 통증에

환희와 아픔이여

가깝고도 먼

신비의 샘물을

긴 쪽박으로

지칠 줄 모르고 퍼 마실 날

오늘도 마음 속 계곡에 묻혀

목마르게 애태운다.

—아내를 그리면서

정 전도사님은 이제 목사님이 되셨다. 그 분은 덕과 이해심 많고 인자하신 큰 누님과 같은 좋은 분이다. 지금도 내 아내를 만나면 꼭 안아주며 "자네 영감님은 아직도 마음 문을 열지 않으셨대? 항상 기도제목에 넣고 있으니까!" 하며 안타까워하시곤 한단다.

어려운 상황에서도 아내가 신앙으로 두 아이들을 티없이 키워준 것에 나는 늘 감사한다. 다 큰 아이들도 아빠를 이해하려고 노력하는 모습이 나를 감동시킬 뿐이다. 그들은 기도한다는 것이다. 재벌이 되고 유명인사가 되길 바라는 것은 나의 욕심 뿐, 그들은 오늘도 주안에서 기쁨 충만으로 열심히 살아가고 있다.

기적 같은 판정

미국에서는 범죄를 저질러 체포되면 경찰이 24시간 이내에 검찰로 넘기게 되어 있다. 기본적인 조사만 끝내고 넘기게 되는 것이다. 이때 검찰 측에서 보석금을 재판부에 건의하게 되는데 피의자 측에서 이의가 없으면 받아들이는 것이고 아니면 보석금을 깎아달라고 재판부에 이의를 신청하게 된다. 변호사 측과 검찰 측의 공방을 거쳐 금액이 확정되면 그 액수에 따라 행동하게 된다.

예를 들어, 살인 같은 범죄는 보통 백만 불 이상이고, 아예 보석금이 기각되는 경우도 종종 있다. 심각한 범죄행위라든가 특히 어린이 성범죄 등은 보통 보석금이 없다. 그리고 우리가 흔히 듣는 광고에 '걱정이나 당황하지 마세요. 어떤 사건이나 범죄든 xx보석금에서 석방시켜 드리겠습니다'라고 하는 것은 어려움에 처해 있는 사람들을 위해 좋은 일을 하고 있는 사람들로 착각할 수 있으나 이들은 사업을 하는 것이고 비즈니스맨일 뿐이다.

쉽게 말하자면, 이자놀이 하는 사람들이라고 할 수 있다. 보석금의 전부나 일부를 대신 갚아주고 재판이 끝나면 원금과 이자를 함께 받는 사업인 것이다. 또한 이들은 꾸어준 돈에 대해선 저승까지 따라가서 받아내고 만다는 철저한 프로들이다. 중요한 것은 자기가 처해 있는 현 위치와 모든 상황을 믿고 맡길 만한 변호사를 선임하는 게 중요하고 모든 문제는 변호사 말에 따르는 것이 가장 현명한 방법이다.

나는 일단 보석금 문제는 접어두고 현재 상태에서 재판을 빨리 시작하고 끝내기로 마음을 굳혔으니 빠르게 재판이 시작된 것이다. 오늘은 새벽 2시에 내 이름이 호명되었다. 부스스 잠에서 깨어 오렌지색 죄수복을 걸치고 복도에 나와 보니 다른 방에서도 몇 명이 나와서 기다리고 있었다. 나지막하게 그들에게 물어보니 오늘 우리는 법원에 간다는 것이다. 여기저기서 모여들어 50여명이 되니 인원을 점검하고 대기소에 가두어 두는 것이다.

한 두어 시간 기다리니 전에 여러 번 먹었던 봉다리 식사가 배달되었다. 아침식사를 먹은 후 잠시 후 교도관에게 인솔되어 긴 복도에 일렬로 집합시켜 일일이 이름과 번호를 확인 점검하고는 옷을 홀딱 벗으라는 것이다. 몸에 걸친 모든 것, 양말, 신발, 속옷 등 우선 안쪽에선 겨드랑이와 팔을 벌려 보여주고 손으로 부랄을 걷어 올려 부랄 끝을 보여주고 입을 벌려 목구멍부터 혀 위아래를 보여주고 이와 잇몸까지 손으로 입을 벌려가며 보여주고는 뒤로 돌아 엎드려 엉덩이를 벌려 항문을 보여주는 것이다.

이때 배심원 재판을 받는 친구들은 자기가 가지고 들어온 사복을 갈아입게 되는 것이다. 왜냐하면 배심원들이 피의자에게 죄수복을 입혀 재판을 받게 하면 치우친 판결에 쏠려 공정한 재판을 받을 수 없다는 취지에서 일반인과 똑같이 사복을 입혀 재판을 받게 하기 때문이다.

나는 이런 번거로운 절차는 없다. 자기는 죄가 없다고 주장하는 사람들은 배심원재판을 받게 되지만 나는 이미 자수를 한 몸이니 이런 번거로운 재판을 하지 않아도 되기 때문이다. 배심원재판은 죄를 짓고 체포는 되었지만 확실히 살인을 했다손 치더라도 정당방위로 죽일만 하니까 죽였고, 아니면 끝까지 죽이지 않았다는 것이다. 즉, 돈은 있으나 궁지에 몰린 사건으로 예를 들자면, OJ심슨 사건 같은 것이다. 있는 대로 돈을 써서 최고 변호사를 여러 명 고용하여 무죄를 받아내는 것이다. 배심원들을 감동으로 설득하여 한 명이라도 반대표를 내도록 만들면 판결 불일치로 무죄를 받아낼 수 있는 것이다.

OJ심슨은 무죄를 받아냈지만 거의 알거지가 되었다. 변호사 비용도 엄청나게 들어갔지만 피해자 측에서 곧바로 민사소송 피해 보상금 몇 천만 불을 승소로 이끌어 냈기 때문이다. 그래서 숨겨 논 돈 몇 푼하고 최저생계비만 남기고 모두 피해자 측에 평생 갚아야 되기 때문이다. 물론 나도 예외는 아니다. 피해자 측 가족이 후에 백 만 불 피해소송을 했기 때문이다.

어쨌거나 지금의 나는 양쪽 볼기짝을 있는 대로 벌려 똥구멍으로 바람이 들어갈 정도로 벌리고 서 있는 나의 모습에 비애를 느낀다. 몸수색을 끝내고 오렌지색 죄수복을 다시 입은 후 건물 문이 열리면서 하나 둘씩 건물 문밖으로 나갔다. 좁은 운동장에 다시 모여 이름을 호명하면서 교도관들이 하나씩 족쇄와 수갑을 채운 후 버스에 태웠다. 모두 버스에 태운 후 다시 한번 인원점검을 한 후 운전사와 다른 호송 운전사 두 명이 우리를 호송하는 것이다.

대형철문이 열리면서 우리들은 건물을 빠져 나와 Santa Ana City를 거쳐 법원으로 향해갔다. 우리 버스는 20여분 지나 법원 지하주차장에 도착하여 지하통로를 통해 대기소로 모두 집합이 되었다. 200여명이 되는 것 같았다.

재판이 시작되면서 한 번에 10여명씩 호명이 되어 나가고 들어오곤 했다. 드디어 나의 이름이 호명되었다. 재판장에 들어서니 재판관이 가운데 앉아있고 방청객과 방청객 앞 쪽 테이블에 내 변호사가 앉아 있었다.

재판장이 내 이름을 확인했다. 그리고 우리 변호사와 몇 마디 말을 주고받고는 일 주일 후 다시 재판을 하겠다며 오늘은 이것으로 끝난다는 것이다. 변호사와 눈인사만 겨우 하고 끝이 난 것이다. 이렇게 간단하게 몇 분만에 끝이 날 것을 새벽 2시부터 너무나 많은 어려운 과정을 거치며 이곳에 온 것이다. 생각을 해보니 오후 4시쯤까지 이백 여명이 오늘 거의 나와 같은 재판을 끝낸 것이다.

밤 8시경에 다시 내 방으로 돌아올 수 있었다. 방에 돌아온 나는 여기가 고향 같은 마음이 들었다. 그것도 그럴 것이 하루 세끼 어김없이 따끈한 식사배급과 언제든 따끈하게 샤워를 할 수 있고 누웠다 일어났다 마음대로 할 수 있으니 고향 같지 않겠는가.

심문

마음의 문을 열고

사랑의 지혜를 갈구해요

태초의 아담과 이브로 돌아가요

벌거숭이 한 쌍에

감출 것도, 속일 것도

저주, 미움도 없어요

내일 세상에 종말이 온다해도

이제 두려울 것이 없어요

그대와 함께라면

사랑하는 이여

마음의 문을 열어요

그리고

사랑의 노래를 불러요.

일주일 후 나는 다시 지난번과 같이 복잡한 과정을 거쳐 재판장에 섰다. 이날은 한국인 통역사가 내 곁에 서서 일일이 통역을 해주며 나의 대답을 재판장에게 정확하게 전하곤 했다. 방청석을 쳐다보니 한 쪽 앞에 내 아내와 처남이 앉아 있고 가운데 피해자의 가족, 형제, 자매들이 여러 명 앉아 있는 것이 눈에 들어왔다. 재판이 시작되기도 전에 만가지 마음이 교차되며 피가 거꾸로 도는 듯 아찔했다.

'내가 잘못했으니 나를 죽이지 왜 죄 없고 순진한 내 아내를 협박해?' 나는 고함을 치고 싶었다. 나는 피를 토하듯 독살스런 눈빛으로 그들을 쳐다보았다. 그들은 나의 눈빛을 의식한 듯 눈이 마주치는 것을 피했다. 분명한 것은 산 자, 죽은 자, 남아있는 자, 모두가 피해자라는 것이다. 누가 누구를 손가락질하고 협박할 때가 아니다. 나는 이렇게 울부짖었다. "너나 나나 모두 피해자다."

그날은 증인들의 증언을 듣고 재판이 끝이 났다. 그후 내 변호사를 특별 변호사 면회장에서 만났다. 인간은 얼마나 간사한 동물인가를 그때 나를 통해서도 다시 한번 알았다. 재판이 잘 순조롭게 진행되고 있음을 아내나 변호사를 통해 들은 나는 힘이 났고 조금씩 살고 싶어졌다. 연약하고 불쌍한 아내를 보호하고 아껴주고 싶고 나 때문에 당한 아픔을 평생토록 치료해주며 살고 싶었다. 그리고 가엾은 자식들에게 힘이 되어주고 싶은 마음이 굴뚝같았다. 나는 마음이 변해 배심원재판을 받겠다고 우리 변호사에게 말했다. 무죄를 받아내겠다는 심산이었다.

다음 주 변호사를 만나 진지하게 상의를 해보았다. 그의 말을 요약하면 배심원재판은 아무나 100% 장담할 수가 없으며 재판이 길어진다는 것이다. 재판이 길어지면 비용이 엄청나게 많이 들어가 재산을 처분하여 충족해야 하고 결국 두 아이들과 아내는 길거리로 나앉아야할 결론이 날 판인 것이다. 그리고 만약 그렇게 되면 재판장 심기를 건드려 몇 년으로 합의를 볼 것도 검찰 측에서 최고

형을 들고나올 수도 있다는 것이다.

종신형에 대해서 생각해본 적이 있냐고 변호사가 물었다. 나는 조금 전까지도 들떠 있던 흥분된 마음이 차분히 가라앉았다. 이제 와서 나 하나 빠져나가려고 식구들을 거리로 내몰 수는 없는 일이었다. 나는 어렵게 최종적으로 결정을 내렸다. 변호사의 의견에 따르도록.

지금 검찰 측과는 아주 좋은 조건까지 합의를 봤다는 것이다. 15년 과실치사형으로 검찰 측과 합의를 했다는 것이다. 과실치사는 계획적인 살인죄가 적용되지 않아 모범수로 잘 교도소생활을 하면 절반정도 즉, 8년이면 석방될 수도 있다는 것이고 내가 동의하면 다음 주쯤 재판을 모두 끝내도록 해보겠다는 것이다. 8년! 10년보다 2년이나 짧으면 나는 해낼 수 있다는 생각이 들었다. 나는 최종 결론을 내리고 변호사와 구두 합의를 했다. 그날 변호사와 나눈 악수는 예 없이 굳은 악수였다.

그 다음 주 또 재판장에 서게 되었다. 그날은 나의 재판이 모두 끝날 수 있다는 기대와 흥분에 지루함과 짜증도 별로 느낄 수 없었다. 그날도 한국인 통역사가 내 곁에 서 있었다. 재판장이 내 이름을 호명했다. 나는 힘차게 대답했다. 선고공판이 진행되었다. 유창한 법원 용어로 설명을 하는데 나는 하나도 알아들을 수가 없었다. 재판장이 알아들었냐고 묻는 것 같았다. 통역사가 Yes라고 대답하라고 하여 나는 "Yes sir." 하고 대답을 했다.

장내가 조금씩 웅성거리는 것 같았다. 나는 '재판과정이 보통 이런 것이구나' 하고 생각하고 통역사를 쳐다보았다. 통역사는 나에게 악수를 청하며 축하드린다고 말했다. 지금 재판장이 15년 과실치사를 5년 감형된 10년형으로 선고했다는 것이다. 순간 나는 아내 얼굴과 변호사 얼굴을 잠시 쳐다보았다. 그리고 얼굴을 가리고 흐느끼기 시작했다. 옆의 동료들이 나에게 축하 말을 전했다. 모두들 나를 축하해줬다. "You're lucky man!"

오늘 재판장의 선고공판은 대강 이랬다. 우리 변호사와 검찰 측과 만나 최종 과실치사 15년형을 받기로 합의를 했다는 것이다. 내 가족관계, 아내의 처지를 설명하면서 합의를 보았다는 것. 그런데 오늘 재판장에게 검찰 측에서 우리 가족관계와 사건경위 등을 참작하고 5년을 감형해 달라고 간청을 했다는 것이다. 그 결과 재판장이 오늘 그들의 간청을 받아들여 5년이 감형된 10년형을 선고 공판한다는 것이었으니 감격의 눈물을 흘리지 않을 수가 없는 것이다.

미국교도소 생활은 빈민층이나 흑인이나 억만장자나 차별 없이 거의 똑같이 생활을 하는 곳이니 미국이야말로 진정으로 법치국가요, 민주주의임을 다시 한번 깨닫는다.

나는 나의 두 분 변호사와 또 검찰, 재판장님께도 진심으로 감사드렸다. 방에 돌아와서 많은 동료들의 축하인사를 받았다. 물론 후란시스코가 가장 기뻐하면서도 섭섭해하는 눈치였다. 재판이 일단 끝나면 State prison으로 1-2주안으로 이감이 되기 때문이다. 후란시스코와는 그 동안 정이 많이 들었다.

벌(罰)

너는 죄를 짓지 마라

만약 죄를 지었다면

용서를 구할 줄 알라

또한 용서한 줄로 알라

이것이 모두가 사는 길이다

죄를 부인하면

더 큰 죄를 잉태하게 되고

용서한 줄 모르면

죄인과 다를 바 무엇인가

너는 죄를 멀리하라

미국의 성범죄

미국에서 성범죄는 굉장히 엄하게 다뤄진다. 특히 어린이 성범죄를 하고 살인까지 했다면 사형대에서 죽기 전에 일찌감치 교도소 안에서 죽을 각오를 해야 할 정도다. 교도소에서 이상하리만큼 직접 보고 느낀 것은 어린이 성범죄자들에게는 너도나도 할 것 없이 모두들 열을 내고 죽일 듯이 달려든다는 점이다. 특히 멕시칸 어린이를 성폭행하여 잡혀 왔다면 어떻게 알게 되는지 그들은 모두 알게 되고 그때부터는 목숨을 내놓고 감방생활을 해야된다. 특히 멕시칸 갱스터 세계에선 이런 범죄는 용납이 안 되는 것 같다.

이 세상에서 가장 연약한 어린 여자아이들에게 성폭행을 한다는 것은 남자 세계에서 있을 수 없는 범죄 행위로 분류해 놓아 어느덧 그들 세계에서는 전통이 된 듯했다. 즉, 법원에서도 그들에겐 특별한 보호와 분류를 해서 재판을 받게 하거나 County Jail에서도 특별 독방으로 분류해 놓은 것 같다. 똑같이 수감해 놓았다가 이튿날 송장으로 나가기 때문일 것이다.

재판장 대기실에서도 그들을 별도로 수감시켜 재판을 받게끔 한다. 그들이 가는 곳마다 구타, 폭행이 따르기 때문이다. 혹 그들이 석방이 된 후에도 평생 족쇄를 차고 다녀야 되거나 집 앞마당에 '이 집에는 어린이 성범죄자가 살고 있다' 고 푯말을 붙이고 살아야되니 언제 어느 때 분노한 시민이 뛰어들어 콧등을 터뜨릴지 모르기에 불안 속에서 살아가야 된다.

TV에서 보면 동네 사람들이 '성범죄자는 떠나라!' 라는 구호를 쳐들고 데모하는 장면을 보게 되는데 그런데도 이상한 것은 그들은 재범률이 일반인에 비해 몇 배가 높다는 것이란다.

미국에서는 성범죄나 강도 등 모든 범죄행위는 한 건수 당 가산형량이 추가되기 때문에 요즘 한국의 다람쥐 성폭행 사건 같은 것을 예를 들면 한 건당 3년이라면 열 번이면 30년이나 되며 20건이면 60년이 되는 셈이다. 그러니 무기징역보다도 더 중형이 되기 때문에 감옥 안에서 생을 마감해야되는 것이다. 그러니까 신고정신이 꼭 필요한 것이다. 성폭행 당하고도 창피하고 귀찮고 어려우니까 포기하며 신고조차 안 하기 쉬운데 사실 신고를 해야 그 놈을 영원히 감옥에서 생을 마감하도록 할 수 있는 것이다. 결국 당장 자기 하나만 피해를 본 것으로 끝을 내려고 하는 것은 너무나 무모한 짓이다. 훗날 그놈에게 다시 성폭행 당하지 말란 법은 없다는 것이다.

나는 그날 저녁식사를 마친 후 염치 불구하고 전화기 옆에 제일 먼저 서 있었다. 벨이 떨어지자마자 제일 먼저 아내에게 전화를 하고 싶어서였다. 오늘 판결은 아내와 처남, 처형도 모두 다 알고 있고 신문에도 크게 보도되어 미주동포들은 거의 다 알고 있는 사실이었을 것이다. 나는 벨이 떨어지자마자 다이얼을 돌렸다.

"나야, Thank you, thank you!" 내 말을 듣는 순간 어느새 아내는 울먹이며 "Jim 아빠, 앞으로도 모두 잘 될 거예요. 하나님께서 도와주실 꺼예요. Jim 아빠! 오늘 나에게 단단히 약속해요. 앞으로 욱하는 성격을 아이들을 생각해서라도 꼭 고쳐야 돼요. 알았죠?" 하는 거였다. "Ok, Ok!" 나는 수화기에 대고 뜨거운 키스를 했다.

이튿날 아내는 변호사 사무실에 찾아가 두 변호사에게 감사하다는 말을 전하고 그 동안 있었던 이야기며 변호사 비용문제 등 앞으로의 일을 상의하려 방문했다 한다. 그런데 여기서도 두 번째 기적이 벌써 일어났던 것을 알게 되었다. 어제 재판이 끝나고 사무실에서 유태인 미국변호사와 같이 상의한 끝에 두 변호사가 변호사 비용 등 많은 것을 탕감해주기로 합의를 했다는 것이다. 그 동안 우리 사건을 맡아 사건을 해결하면서 많은 감명을 받고 우리 가족을 돕기로 했다는 것이다. 특히 어린 두 아이들과 아직 젊은 아내의 앞날을 위해 매우 걱정을 하였다는 것이다.

이 이야기를 들은 나는 많은 생각을 하게됐다. 보통 우리가 생각하기에는 변호사는 허가 낸 도둑이라는 이름이 붙여질 만큼 그 비용도 비쌀 뿐만 아니라 보통사람은 함부로 찾지도 못하는 문턱이 높은 곳으로 인식되어 온 것이 사실이다. 그런데 사람에 따라 정말 많이 달랐다. 우리는 변호사 비용을 정한 것도 아니었다. 정확한 금액은 밝힐 수 없지만 지금 5만~10만 불 정도 예상하면 13년 전이니 그 돈 역시 결코 적은 돈이 아니었다. 그것도 원만히 재판이 순조롭게 끝났을 때를 가정해서 예상한 금액이었다.

우선 아내는 착수금으로 몇만 불 정도를 지불하고 아무리 빨리 잘 끝나도 5-10만 불 정도는 예상하고 있으라며 나머지 몇만 불에 대해선 매달 천 여 불씩 월부로 갚아나가기로 서명을 하고 재판을 시작하게 되었다는 것이다. 즉, 최소한 변호사 비용만 5-10만 불 정도는 예상해야 된다는 것이다.

많은 사람들이 사건을 의뢰하고도 돈과 결과(형량)에 너무 바둥거리는데 우리는 처음부터 그분들의 충고와 요구에 잘 따라주었다는 것이다. 즉, 너무나 쉽게 좋은 결과로 재판이 끝날 수 있었던 것이다. 그러니까 두 아이와 아내가 앞으로 살아가는데 조금이나마 도움이 되고자 착수금만 받기로 하고 나머지 금액 몇만 불을 매달 월부로 갚기로 한 것을 모두 탕감해주기로 했다는 것이다. 이런 기쁜 소식을 아내에게 전달하면서 그들은 아내의 손을 꼭 잡아주며 아이들을 위해 열심히 살아달라고 격려까지 해주었다는 것이다.

나는 너무나 뜻밖의 소식에 졸도할 정도로 기뻤다. 그러잖아도 그 많은 비용을 떠 안고 아내가 아이들 키우며 어떻게 살아갈지 걱정이 태산이었는데 이렇게 감사할 수가…. 더욱이 아내는 미국에서 오래 살면서도 살림만 하고 돈버는 걸 해보질 못했으니 나의 걱정은 사실 이만저만이 아니었다.

다시 한 번 나를 되돌아봤다. 인간은 어느 누구든 완전한 인간이 될 수 없다. 그러나 정직은 자신이 만들어 낼 수 있는 것 아닌가. 한 번 거짓말을 하면 그 거짓을 덮기 위해 또 거짓을 낳게 되고 그런 거짓이 쌓이고 쌓이면 결국 사기다 공갈이다 하여 사망으로 이어지는 것을….

그런데 나는 감사하게도 질질거리며 거짓을 일삼고 다니는 걸 본디 싫어하는 성격이다. 이번 일도 털끝하나 숨김없이 있는 그대로 변호사에게 나의 마음을 털어놨고 그 결과로 의논의 실마리를 찾고 최종결단을 용기 있게 내린 결과 오늘의 좋은 결과가 나지 않았나 자화자찬 해보는 것이다.

State Prison의 임시대기소

재판이 끝나고 열흘이 지나 아침식사 후 내 이름이 호명되었다. 오늘은 내 소지품이 있으면 모두 가지고 나오라는 것이다. 하기야 소지품이라고 해봐야 세면도구와 책 몇 권이 전부가 아닌가. 나는 그 동안 정든 방 동료들과 일일이 악수를 나누며 아쉬운 작별의 정을 나눴다. 특히 후란시스코와는 서로 어깨를 껴안고 한참을 떨어질 줄을 몰랐다.

"Good luck, brother!" 어느덧 우리는 형제가 되어 있었다.

"후란스시코, I think I'm going to be out in 5 years. You're geeting out then too, right? That time you are going out also, right? If you need help, call me. Ok, brother?"

아쉬운 작별의 정을 나누고 복도에 나왔다. 이곳에서 일단 밖으로 나갈 때는 예전에 했던 대로 여러 가지 복잡한 절차를 거쳐 나가게 되는 것이다. 오늘도 수갑과 족쇄를 채우고 대형버스에 올랐다. 드디어 오늘부터 State Prison으로 이감이 되는 것이다. 버스가 출발하여 시내를 벗어나 Riverside 쪽으로 달리고 있었다. 평상시 여행을 많이 한 편이라 오렌지카운티의 외곽지역은 익히 대강 알고 있었다. 우리는 치노 근방에 있는 감옥에 온 것이다. 버스에서 내려 어느 콘크리트 건물에서 또 다시 발가벗기고 부랄을 위 아래로 들어가며 보여주고 입 속까지 까발리고 항문을 벌려가며 나의 자존심을 다 보여준 후 보급품을 받았다.

그런데 오늘 받은 죄수복은 색깔부터 달랐다. 지금까지는 오렌지색으로 된 상하가 붙은 옷이었는데 오늘부터는 청바지에 푸른색 셔츠에 군화보다 약간 짧은 군화가 지급된 것이다. 이 옷을 입고 보니 마음이 한결 자유롭고 부드러워지는 기분이었다. 또 한 가지 내가 지금까지 보지 못했던 광경은 우리가 이곳에 들어올 때 알몸 검사만 Sheriff가 하고는 그 외 다른 수속 서류일체, 보급품 지급, 안내 등 모두는 같은 죄수들이 각자 분담해서 일하고 있는 것이었다.

한 동료가 우리를 인솔하여 간 곳은 커다란 실내 체육관이었다. 인솔자가 배정해 준 번호대로 각자 침구를 정리했다. 실내를 살펴보니 앞쪽 천장 밑에 감시소를 만들어 달아놓고 그 창문으로 기관총을 걸어놓고 교도관 한 명이 밑으로 감시를 하고 있었다. 입구 쪽 옆에 감시소 사무실에서 또 한 명의 교도관이 일반적인 사무실과 병행, 실내를 감시하고 있었다. 벌써 초여름이 시작되는 시기라서 오후에는 후덥지근하다. 오백여 명이 밑에서 북적거리고 체육관 지붕의 열기로 거의 모두들 윗통을 벗고 지내다시피 했다.

오후가 되면 절정에 이르는데 그 모습들이 장관이다. 예술의 극치라고 표현할까. 특히 거구의 백인들의 몸에 새긴 문신들은 울긋불긋 온몸 전체가 문신이다. 거의 많은 친구들이 윗통을 의식적으로 벗고 문신을 자랑하는 것 같고 그야말로 가관이다. 어느 친구는 머리 속부터 시작하여 얼굴 전면만 빼고는 발끝까지 온통 몸 전체가 문신자국이다. 돈으로 계산해도 엄청나게 들어갔을 것 같다. 언뜻 보면 정신병자 같기도 했다.

사람이 많다보니 이 구석 저 구석에서 닭싸움도 자주 일어나곤 한다. 이 체육관은 몇 년 전까지만 해도 우리 같은 죄인들이 사용했던 곳이다. 한 마디로 말해서 지낼만했다는 이야기다. 그런데 이제 죄수들 때문에 드는 엄청난 정부예산은 한정되어 있어 하는 수 없이 옛날의 시설들을 폐쇄시켜 임시대기수용소로 사용하고 있는 것이다. 그만큼 하루하루 교도소 생활은 어려워진다는 것이다. 환경은 날로 열악해지고 죄수인원은 넘쳐나게 되어 좁은 방에 많은 인원이 수감되어 생활하게 되다보니 스트레스가 더 쌓여 사고가 더 많이 발생하는 것이다.

나는 오늘 같은 분위기로 봐선 앞으로 교도소생활이 난감해질 거라는 생각이 들었다. 과연 내가 잘 적응해나가며 남은 잔여 형기를 잘 마칠지 장담할 수가 없을 것만 같았다. 이곳에서 2주일 정도 대기한 후 바로 옆에 붙어있는 정식대기소로 이감되는 것이다. 이곳은 한 마디로 군 막사와 비슷하게 커다란 잔디축구장을 중심으로 빙 둘러 막사가 지어 있는 곳이다. 한 방에 80여명 정도 수용할 수 있는 건물이 2채씩 뒤로 연결되어 운동장을 중심으로 돌아가며 여러 채 지어져 있어 지금까지와는 달리 숨이 탁 트이며 자유로운 분위기이기는 한 것 같았다.

저녁 취침시간부터 아침식사 후를 제하면 낮에는 주로 자유시간이다. 이곳은 거의 모두가 state prison으로 정식 이감되기 전의 임시대기감옥소이기 때문에 특별한 보직이 없는 상태이다. 축구도 하고 조깅도 자유롭게 할 수 있었다. 특히 마음에 드는 것은 하루 세끼 식당에서 식사를 직접 배식 받는 것이다. 그것은 county jail과는 전혀 다르게 자유로운 순서대로 배식을 받아 빈자리에 자유롭게 앉아 시간제한 없이 식사를 즐길 수 있는 것이다.

막사에서는 TV방도 있고 한결 공간이 넓어진 것이 다르다. 그러나 여기 저기 싸움질하는 것은 변함이 없다. 사실 나 역시도 싸움구경 하는 것은 싫지 않다. 왜냐하면 그들의 싸움을 구경한 후 나대로 싸움을 분석하고 나대로 비법을 연구하기 때문이다. 나의 경험으로는 이곳에선 너무 강해도 너무 약해도 또는 너무 야비해도 항상 싸움의 발단이 된다. 어디서나 마찬가지지만 싸움이 잦으면 그만큼 위험하기 때문에 젊은 혈기 높은 한국청년들이 미국감옥에 들어오면 견디기 힘이 든 것이다.

언제, 어느 때 나에게 싸움이 닥쳐올지 모르기 때문에 나는 실제 싸움을 가상하여 구석에서 연습을 게을리 하지 않았다. 이곳에는 너도나도 할 것 없이 한 수 한다는 또라이들이 많기 때문에 더욱 조심스러웠다. 나의 경험으로 봐선 혹 감옥에 들어와 안전하게 사고 없이 살아 남으려면 가능한 이곳에서는 친구들을 사귀면 안 된다. 많은 사람들을 사귀다보면 이견과 피해가 생겨 싸움의 발단이 되기 때문이다. 둘째, 있는 척, 가진 척, 잘하는 척 하지 말고 남들과는 꼭 할 이야기만 하고 의연하고 담대하게 보여야 한다. 심심하면 명상이나 계획을 세우며 설계와 꿈을 꾸는 것이 현명한 일이다. 그리고 허락이 된다면 책을 보며 먹는 것에 초연해야 한다.

오늘은 이곳 화장실에서 믿어지지 않는 놀라운 사건을 목격하게 되었다. 화장실은 한쪽 벽 끝에 샤워실과 한쪽은 소변기 4개, 한쪽 벽에 대변기 4개가 붙어있는데 변기와 변기 사이에 벽이 없기 때문에 옆 눈으로 보면 옆 사람의 행동을 다 보게 되어 있다. 그런데 오늘 아침에 대변을 보는데 옆에 30대 후반 전통적인 멕시칸이 대변을 보는 게 보였다. 옆 눈으로 보니 그의 행동이 여간 이상한 것이 아니었다. 그는 손을 뒤로하고 무엇인가를 뒤에서 꺼내는 것 같았다. 그의 행동이 이상하니 더 호기심이 생겨 볼 수밖에 없었다. 꺼낸 것은 비닐조각에 쌓여 있었다. 그 비닐을 벗겨 버리고 다시 깨끗한 비닐에 꽁꽁 싸서 손을 뒤로하고는 다시 항문에다 집어넣는 것이다.

그러고 보니 이 친구는 이곳까지 마약을 가지고 온 것 같았다. 아니면 대기소에서 누구에게 전달받아 목적지까지 운반한 것이든지. 그러니까 최소한 하루에 한 번 오늘같이 대변을 볼 때마다 종일 똥구멍에 차고 지내다가 비닐봉지를 먼저 꺼내고 대변을 본 후 다시 똥구멍에 집어넣어야 되는 것이다. 그러니 얼마나 우둔하고 무모한 인간들인가. 정말로 고개가 절로 흔들어진다.

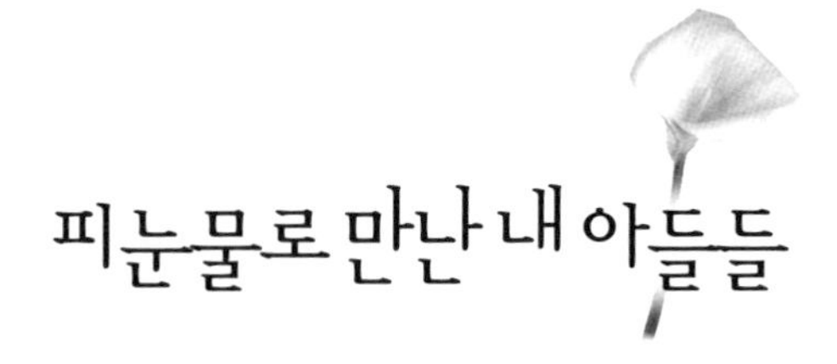

피눈물로 만난 내 아들들

내일은 두 아이들을 데리고 처음으로 면회를 온다고 아내로부터 연락 받은 날이다. 나는 아이들과 아내를 직접 손을 잡아보며 만날 수 있다는 사실에 설레어 잠을 제대로 못 이루었다. 그리고 아내가 간단한 한국음식도 가지고 온다니 소풍을 앞둔 어린아이모양 흥분되어 안절부절못하고 지냈다.

사고 후 8개월 만이다. 드디어 고대하던 날, 아침식사 후 면회실 쪽을 고개가 휘도록 바라보며 그토록 보고싶던 아이들의 얼굴을 떠올렸다. 얼마나 변했을까. 무슨 말을 먼저 해야하나. 사랑하는 아내는 그 동안 아이들 키우기도 힘드는데 나 때문에 이일저일 처리하느라 얼마나 힘들었나 생각하니 진실된 아내의 사랑에 가슴이 저려온다. 내 이름이 마이크로 호명되기까지의 1분이 왜 그리 긴지…

드디어 내 이름이 호명되었다. 면회사무실에서 이름과 번호를 확인하고는 문을 열고 들어섰다. 벌써 많은 동료들이 와 있었다. 삼삼오오 담소하며 음식을 나누는 모습이 너무나 정겹게 보였다.

"짠- 아빠!"

두 아이들이 어색한 미소를 지으며 나에게 다가왔다. 그런데 눈에 넣어도 안 아플 그 자식들이 지금 내 눈앞에 있는데 나는 어딘지 모르게 서먹했다. 그도 그럴 것이 10살, 13살이면 그들도 이제 알 것은 다 알고 있는 나이들 아닌가. 아이들에게 아빠가 싸움을 하다가 크게 사고가 났다고 이야기했다지만 정말 자식들 볼 면목이 없다. 나는 용서를 비는 마음으로 두 아들들 손을 하나씩 잡고는 무릎을 꿇고 그들 손을 비벼가며 눈물범벅을 이루었다.

"I'm sorry son. I am sorry."

"I missed you dad." 큰 아이가 울먹이며 말했다.

"I missed you too. I love you dad."

나는 정말 피눈물로 통곡을 했다. 그들을 껴안고 용서를 받고 싶었다. 그러나 그것도 허락되질 않았다. 아직 자유의 몸이 아니라 그들을 안아줄 수가 없었다. 이곳에서는 면회시 서로 껴안는 것 같이 몸을 접촉하는 행위는 허용되지 않기 때문이다. 물론 아내와도 키스 또는 서로 포옹도 할 수 없다. 면회장소에 교도관들이 배치되어 있으며 몸을 접촉하는 행동이 발견되면 즉시 달려와 경고를 주는 것이다. 두 번째 발각되면 그날의 면회는 무산되는 것이다.

법이 그러니 어쩌겠는가. 두 아들 손만 잡고 그저 쉼 없이 줄줄 흐르는 눈물만 손등으로 닦을 수밖에. 이 어린 것들이 아비 잘못 만나 앞으로 힘들게 살아갈 것을 생각하니 아빠로서 얼마나 미안하고 가슴 아픈지 짓눌리는 죄책감에 가슴이 터질 것 같았다. 아내는 말

한마디 못하고 옆에서 내 어깨를 붙잡고 그저 흐느낀다. 큰 아이 눈가에도 눈물이 보이자 작은아이도 덩달아 주체 없이 흐르는 눈물을 손등으로 쓱쓱 닦아가며 입을 삐쭉거리며 울고 서 있는 것이다

나는 정말, 정말 가슴이 깨어져 무너져 내리는 것 같았다. 목이 막혀 숨조차 쉬기 어려웠다. 한 손에는 큰아들 손을, 다른 손은 작은아들 손을 잡고 I'm sorry만 연거푸 하며 용서를 빌 뿐이었다. 첫째는 얼떨결에 키워 그저 미안하고, 둘째는 유치원 때부터 두각을 나타내더니 담임선생님의 권유로 영재교육시험을 보고 1학년 때부터 영재반에 편성되어 교육을 받은 착하고 눈치 빠른 두 아이들에게 너무 큰 죄인이 되었다.

그러나 어차피 우리 가족에게 닥쳐온 운명인데 어찌하랴! 나는 억지로 마음을 다잡고 어린 자식들에게 미소를 지어 보이며 일어섰다. 아내가 미리 잡아놓은 의자에 우리 4식구가 오랜만에 빙 둘러 앉았다. 아내가 정성들여 싸 가지고 온 김밥과 과일을 먹는데 1분 1초가 아까웠다. 이대로 시간이 정지되어 버렸으면 얼마나 좋으랴.

아내로부터 그 동안의 집안소식과 앞으로의 생활계획을 대강 들었다. 자기는 언니네 쪽으로 가는 것은 생각해본 적이 없고 힘들겠지만 내가 나갈 때까지 내가 하던 사업을 계속 해보겠다는 것이다. 고생하는 아내에게 난 할말이 없었다. 그저 측은하고 마음 아파 손을 꼭 잡아주기만 했다.

벌써 면회시간이 다 되었단다. 사람들은 헤어질 준비를 하고 있는데 익숙해져 있는지 자리를 뜨는데 나는 이대로 여기 내 아내와

자식들이 있는 이곳에 늘어붙어 있고 싶다. 그러나 시간에 떠밀려 이젠 작별을 해야한다. 언제 이 그리운 식구들을 또 만날 수 있을지. 아내에게 사랑한다고, 미안하다고 눈인사를 하며 아이들에게 가까이 갔다. 이곳에 들어올 때 교육도 받고 주의를 받았지만 이제 헤어지면 다시 만날 수 있을지 아니면 이게 마지막일지도 모를 두 아들을 나는 법을 어기고 으스러지도록 껴안았다.

"Jim! You are the first son?"

"Yes." 나는 교도관이 보던 말던 두 아들들을 뺨에 대고 눈물 범벅으로 얼굴을 비벼댔다.

"You have to help your mom, ok? And take care of your brother, ok?"

"Ok, dad." 큰아이가 말한다.

"Dad! Take care yourself! ok! I'm waiting for you!"

내 볼엔 또다시 피눈물이 흘렀다. 그들이 보이지 않을 때까지 손을 흔들면서 나는 그 자리에서 망석처럼 움직일 수가 없었다. 숨이 막혀 호흡이 어려웠다.

'하나님, 이제 시작입니다. 저들을 보호해주십시오.'

4

북가주 Susanville State Prison

이송과정

보통 이곳 대기기간은 빠르면 한 달에서 석 달이 걸린다고 한다. LA와 Orange County에서 모여든 죄수들이 캘리포니아에 흩어져 있는 State Prison으로 이송되는 것인데 대형 Sheriff 버스가 대기하고 있다가 각 방면에서 죄수들을 실어 나르는 것이다.

나는 어디로 갈까? 하루하루가 초조하고 불안하다. 이곳에서 멀지 않은 곳으로 이감되었으면 하는 바램으로 하루하루를 보내지만 마음은 늘 불안하다. 그래야 그나마 안정을 찾고 아내와도 면회로 자주 만나고 여러 모로 정신적 도움이 될텐데….

오늘은 인원 점검을 끝내고 교도관이 나의 이름을 부르며 사무실로 오라는 것이다. 드디어 내일새벽 떠날 준비를 하라는 통지서를 전해주는 것이다. 나는 본능적으로 어디로 이송되는 것이냐고 그에게 물어봤다. 교도관은 나를 잠시 어처구니없다는 듯이 쳐다본 후 알 수 없다고 대답했다. 물론 물어본 내가 어리석은 것이다. 어디로 가는 것은 우리를 호송해 가는 2명의 Sheriff 요원만 알고 있는 것이다. 침대에 돌아와 긴장감 속에 잠시 눈을 붙였는가 싶더니 교도관이 돌아와 자고있는 나를 조용히 흔들어 깨우며 담요와 베개, 시트를 사무실로 가지고 오라는 것이다. 나는 옆 친구들에게 방해가 되지 않도록 조용하게 짐을 꾸려 사무실로 갔다. 다른 대기자들과 함께 교도관의 인솔에 따라 한쪽 끝에 있는 사무실로 갔다. 버스는 이미 우리를 위해 대기하고 있었다.

우리들은 다시 한번 이름과 번호를 확인 받은 후 또 다시 지겨운 족쇄와 수갑이 하나하나 채워졌다. 다시 버스에 타기 전 이름을 확인한 후 순서대로 버스 뒤편에서부터 앉으라고 했다. 나는 버스 중간쯤 자리를 배당 받았다. 버스가 꽉 차자 다시 한번 인원 점검이 끝난 후 버스 문이 닫혔다. 이때쯤이 대강 새벽 4시경쯤 된 것 같다. 드디어 어둠을 뚫고 버스가 서서히 움직이기 시작했다. 지금의 심정은 뭐라 표현해야할지 모르겠다. 시원하면서도 착잡하고 두려움이 앞섰다. 낯익은 Riverside County 새벽 불빛을 뒤로하고 서서히 도심을 벗어나고 있는 것이다. 어느덧 해가 완전히 올라왔다. 창문 밖으로 보이는 캘리포니아의 전형적인 외각 사막지대를 달려가고 있는 것이다.

Sheriff가 아침 봉다리 식사를 하나씩 나누어주었다. 족쇄와 수갑을 찬 채로 식사를 하는 것도 그리 쉬운 일은 아니었다. 아침이라고 먹고 나니 습관대로 대변이 마려운 것이다. 차 맨 뒤쪽에 하나밖에 없는 화장실을 보니 뒤쪽에 앉아있는 친구들이 대기하고 있는 것이 보였다. 아침만 먹으면 10-20분 이내에 꼭 대변을 보는 나의 습관은 예나 지금이나 버스 안이나 여전했다. 그런데 오늘은 그 습관이 사람을 잡는 것이다. 계속 뒤를 쳐다봐도 기다리는 사람들은 여전했다. 드디어 내 차례가 되어 족쇄를 질질 끌며 화장실 문 앞에 서서 기다리게 되었다.

막상 화장실 문 앞에 서서 기다리자니 대변이 더 나오려했다. 미칠 지경이었다. 나는 속으로 악을 쓰고 용을 쓰며 막아보려 했지만 서서 있으니 위에서 내리누르는 압력에 항문 조절능력을 상실해 가는 것 같았다. 나는 끙끙거리며 한계에 다다랐음을 느꼈다. 드디어 나오기 시작한 것이다. 이 세상에 이렇게 또 다른 무서운 고통이 있구나! 철컥, 문이 열렸다. 나는 재빠르게 들어가 바지를 내리는데 이게 마지막까지 나를 까무러치게 만드는 것이다. 족쇄와 수갑을 찼으니 허리띠와 바지를 내리기도 쉬운 일이 아니다. 나는 최후 일순간에 대변을 뿜어냈다. 휴- 하고 한숨이 절로 나왔다. 그래도 최대의 고비는 넘긴 것이다.

그런데 대변을 마친 후 항문을 닦아야 하는데 이것 역시 보통 어려운 일이 아니었다. 더군다나 이놈의 버스에는 두루말이 화장지가 아니라 조각보 화장지가 있는 것이다. 두루말이 화장지라면 그대로 두툼하게 말아서 밑을 닦아내면 그런 대로 될성싶었는데 손바닥만한 종이를 뽑아 뭉쳐봐야 손바닥만하기 때문에 여러 번 해야 되는데 수갑 찬 손으로 이것 역시 보통 어려운 일이 아니다. 최대한 닦고, 닦고 해서 자리에 와 앉았으나 기분이 말이 아니다. 이때부터 고행은 또다시 시작되는 것이었다. 뒤끝을 깨끗하게 처리했어도 잔여 성분이 항문 주위에 묻어 있는 것인데 깨끗하게 처리를 할 수 없기 때문에 독소가 더 묻어 있을 수밖에 없는 것이다. 막상 자리에 돌아와 털썩 앉고 보니 아프기 시작하는 것이었다. 그것도 족쇄와 수갑을 찬 채로 최선을 다한 것이었는데…

버스 장거리 여행을 다녀 본 사람들은 다 알고 있겠지만 여행가이드가 첫 번째로 부르짖는 것은 뒤에 있는 화장실을 사용할 수 없다고 하는 것이다. 물론 여러 이유가 있겠지만 한여름 사막기온은 100°가 보통 넘게 마련인데 오십 여 명분의 소대변을 하루종일 버스 뒤에 달고 다니면 가이드 말처럼 차의 엔진열기와 사막열기가 합쳐 온도가 200도가 넘어 화장실 속에 있는 소대변이 지글짝 보글짝 끓는다는 것이다. 뜨겁게 끓으면서 차가 움직일 때마다 철썩철썩 부딪혀서 증기를 뿜어내면 그 증기가 아무래도 버스 뒤편으로 스며들게 된다는 것이다. 그러면 뒷좌석에 있는 이들은 방독면을 쓰고 여행을 해야되는 지경이라는 것이다. 그런데 이 버스는 50년 전 구형버스에 부서지는 엔진소리며 새벽부터 오십 여명이 먹고싼 것들이 계속 철렁거리며 달리고 있으니….

점심 때가 다 되어 어느 사막 가운데 주유소에 정차를 했다. 우리들에게는 봉다리 점심을 미리 하나씩 나누어주고 Gas를 보충하러 온 것이다. 이때 Sheriff들은 버스에서 내려 화장실을 다녀오고 시원한 소다 한 병씩 사 마시면서 나오는 것이다. 왜 별것도 아닌 그들의 모습이 오늘따라 더 부러워 보이는지.

Gas를 다 채운 후 다시 버스가 움직이기 시작한다. 버스 안에 에어컨 시설이 있다해도 뒤쪽에선 역시 지글짝 보글짝 피어 오르고 차 지붕은 오후부터 사막 열기에 이글거리고 숨이 탁탁 막혀오기 시작하는데 더욱 나를 고통스럽게 한 것은 대변 뒷처리를 깔끔하게 못한 까닭에 항문주위가 쓰라려오는 것이었다. 족쇄와 수갑을 차면 버스에 앉아 가는 것조차 쉬운 일이 아닌데 한 두 시간쯤이라면 몰라도 새벽 5시경에 출발해서 7시간 정도가 경과되니 참기가 힘이 들었다. 그러고도 앞으로 몇 시간을 더 가야 되는지 모르기에 답답하기 그지없었다.

어느덧 버스는 사막지대를 지나 소나무가 하늘을 찌를 듯한 산간지역을 달리고 있었다. 나는 버스가 북쪽으로 계속 가고 있음을 알았다. 벌써 해가 기운 듯한 것을 보니 열 몇 시간은 족히 온 것 같았다. 나무가 울창하고 산간지역임을 보면 캘리포니아 북동쪽으로 계속 올라가는 것 같았다. 문제는 열두 시간 이상이 지나니까 엉덩이가 찌들어 고통이 한계에 다다른 것이다. 조금이라도 움직일 때마다 엉덩이 밑 항문 주위가 쓰라리고 밑이 빠지는 것 같았다.

이제 해도 넘어가고 어둠이 깔리기 시작했다. 버스가 고개를 넘어서니 끝이 보이지 않는 산간 사막지대가 펼쳐졌다. 멀리 군데군데 불빛이 보였다. 우리는 불빛을 지나 계속 사막을 달렸다. 옆의 동료에게 조용하게 여기가 도대체 어딘지 아느냐고 물어보았다. 그는 Susanville이라고 했다.

사막 한 가운데 불빛이 제일 많이 깔려 있는 타운에 도착한 것은 저녁 8시경인 것 같다. 장장 16시간 이상을 족쇄와 수갑을 차고 항문 주위에 독약을 묻히고 꼼짝없이 앉아서 온 것이다. 전기나 물

고문만이 고문이 아니라는 생각이 들었다. 소대변 가리기도 힘들고 사지가 묶인 상태에서 16시간 이상 장거리를 이동하는 것도 바로 고문 중에 고문이었다. 다시는 생각하고 싶지도 않은 기억이다.

가라면

지닌 것 없고
먹을 것 없어도
밤이슬만으로도
목을 축일 수 있으니

가라면
밤낮을 가리지 않고
걷고 뛰고 달려가겠구먼

삼천리 머나먼 길
꿈속의 집
허공속에 뛰고 걷고
깨고 나면
제자리로다

—집이 그리워

남과 북 갱스터

늦게 도착하였지만 드디어 족쇄와 수갑을 풀고 간단하게 수속을 마친 후 각 방으로 분산 배치되었다. 나는 방에 들어가자마자 간단하게 잠자리를 확인한 후 바로 옆 동료들에게만 인사를 나누고 샤워실로 향했다. 무엇보다도 독소에 찌든 항문을 씻는 것이 급선무였기 때문이다. 샤워를 끝내고 속옷을 갈아입고 내 침대에 누우니 그때서야 긴장이 풀리며 한꺼번에 피로가 몰려오는 것이다. 내일 당장 죽는 일이 있더라도 우선 잠부터 자야겠다는 생각이 들었다. 그래도 미국감방에서 제일 지낼만한 것은 특별한 곳을 제외하고는 거의 모든 곳에 샤워장이 있다는 것이다.

나는 깊은 꿈속에 빠져들었다. 좁은 방안이 웅성웅성 거리는 소리에 잠에서 깨어났다. 벌써 부지런한 친구들은 샤워까지 끝내고 문가에서 나가기를 기다리고 있는 것이다. 이 방은 양쪽으로 이층침대가 12개씩 늘어서 있고 들어가는 입구 쪽은 TV방이고 다시 문을 열고 들어가면 침실 그리고 끝쪽으로 샤워실과 2개의 세면대, 변기 2개로 이루어져 있다. 전체 감옥건물의 형태는 日자와 비슷하다. 양쪽으로 나누어 2개의 레벨별로 나누고 그 중앙에 식당과 세탁소, 정육점, 창고 등으로 양분되어 있다. 한 쪽 끝으로 Tower(망루)가 있으며 그곳에서 총으로 무장한 교도관이 24시간 교대로 밑을 감시하고 있는 것이다.

이 건물은 이층으로 지어져 있고 가운데는 운동장으로 되어 있다. 이곳에서 탈출하려면 이층 지붕을 넘어 탈출해야 하는 것이다. 사실 불가능이라고 표현하면 적절한 표현일 것이다. 지금은 관광코스의 일부로 변했지만 전에 샌프란시스코 만 바로 앞에 특별 흉악범들만 수용했던 감옥이 있었는데 관광차 가보니 그곳은 만에 하나 죄수들이 탈출에 성공해도 찬 조류가 세차게 24시간 흐르기 때문에 그곳을 헤엄쳐 탈출하기는 불가능하여 폐쇄될 때까지 공식적으로 탈출에 성공한 기록이 없다는 것이다.

그런데 이곳은 지붕이나 철문입구를 통해 탈출에 성공했다해도 하루나 이틀 지난 후 제 발로 다시 돌아온다는 것이다. 그 이유는 겨울에는 눈이 오고 영하까지 내려가는 추위가 있고 여름에는 100도가 넘는 폭염으로 물과 식량이 많이 필요한데 높은 고지대 사막지대임에도 끝없이 망망한 벌판 한가운데 위치한 특별감옥이기 때문이다. 그만큼 흉악범들이 많이 수용되어 있는 곳이기에 분위기도 험악하고 위험한 곳이라는 것이다. 또 일년에 몇 명씩 죽어나가는 곳이다. 특히 갱스터들이 많이 수용되어 있는 곳이라 그들에겐 법이 따로 없기 때문이다. 즉 그들이 법을 만들면 그것이 이곳에선 법이 되는 것이다.

이제 모두들 일어나 왁자지껄한데 문 쪽에선 벌써 여러 명이 줄을 서서 나가기를 기다리고 있었다. 즉 저녁 인원 점검 후부터 아침식사 전까지는 아무도 밖으로 나올 수 없기 때문이다. 아침이 되면 교도관이 순서대로 각 방문을 열어주면 앞에 대기하고 있던 친구들이 먼저 나가면서 뛸 정도로 빠른 걸음으로 식당으로 향한다. 길게 늘어선 순서대로 배식을 받아 아침식사를 하게 되면서부터 하루 일과가 시작되는 것이다.

한참 때인 젊은 친구들은 뭐니뭐니해도 먹는 것이 이곳에서 최우선이기 때문에 조금이라도 빨리 가서 먹기 위해 아침부터 문 앞에 서서 기다리는 것이다. 특히 자유시간 이외는 뛰는 것은 절대 금지가 되어 있기 때문에 매 식사 때마다 경보선수들 모양 한 걸음이라도 먼저 가려고 경쟁들을 하는 것이다.

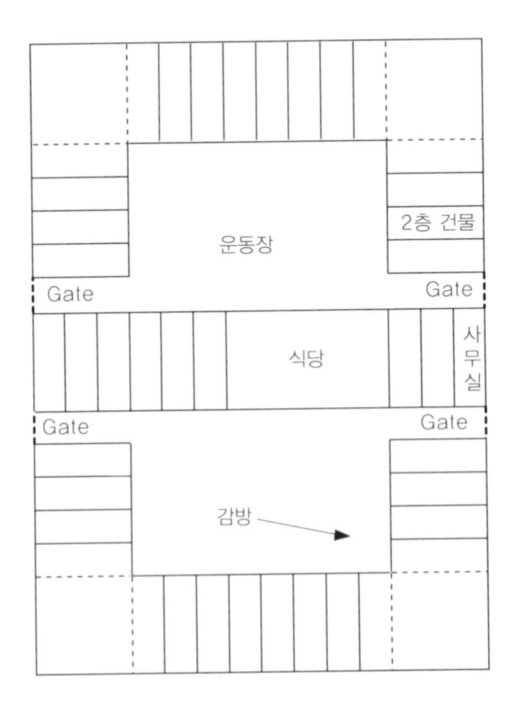

일단 아침식사를 마친 후 약간의 자유시간 30분 정

도를 가진 후 각자 직장이나 학교나 사무실로 나가게 되는 것이다. 이곳에서도 고 학력자들은 주로 사무직을 맡게 되는데 그들은 교도관들을 돕는 서류정리 등 컴퓨터를 하기 때문에 약간의 특권과 안전하게 일을 할 수 있는 것이다. 미국에서는 교도관들과 허물없이 친구처럼 지내는 것은 종종 볼 수 있다. 그러나 공과 사는 뚜렷이 구분하는 것 같았다.

다음은 직장이라고 하면 우습지만 연고자가 없는 수감자들이 많고 아니, 부모 형제가 있어도 단절되어 있는 친구들이 많기 때문에 그들에겐 단돈 10불도 큰돈이라 하루에 1불을 주는 직장을 잡으려고 차례를 길게 기다리고 있는 것이다. 직장의 종류는 식당 요리사, 사무직, 세탁소 기술자, 플러밍이나 전기 기술자 또는 정육점에서 고기 써는 사람 등이다. 특히 이렇게 외진 곳에 위치한 교도소는 교도관과 그 외에 속한 인원이 몇 백 명이 되기 때문에 고기가 들어올 때는 통째로 트럭으로 들어오는데 부분별로 잘 썰어 좋은 부분은 교도관이나 이곳에 속한 인부들에게 최대한 싸게 공급하고 나머지는 우리들이 먹게 되는 것이다.

물론 저질 종류의 고기들이지만 고기는 여러 종류로 음식에 섞어 먹게 되는 것이다. 그러나 일년에 2번 정도 추수감사절과 크리스마스에는 스테이크 등 좋은 고기를 먹을 수 있는 기회도 있다. 한가지 좋은 것은 영어학교 시설이다. 미국감옥은 나를 비롯해 이민자들의 나라이기 때문에 영어를 못하는 사람들이 많기 때문에 이곳에서 주로 멕시칸들을 위해서 영어학교가 운영되고 있다. 나는 처음으로 이곳에서 따끈한 아침식사를 마치고 운동장을 몇 바퀴 걸었다. 아직 나는 아무 보직이나 직장이 없기 때문에 시간적 여유가 있었다.

건물구조는 日자로 한 쪽은 레벨 two로 다른 한쪽은 레벌 one이다. 이곳에 오면 모든 죄수들은 무조건 레벨 two에서부터 생활하게 되어 있다. 한 마디로 말해서 이곳 Susanville은 단기수들은 별로 없다. 최소 5년 이상 중범죄자들이다.

즉 레벨 two가 레벨 one보다 더 위험한 것이다. 레벨 two에서 모범수로 최소 일년정도 지나야 레벨 one으로 옮겨지게 되는 것이다. 특별히 할 일도 없는 나는 계속 운동장을 운동 삼아 걸어서 도는 게 일과이다.

그런데 걷다보니 특이한 죄수들의 복장이 보였다. 그들은 몇 명씩 무리를 지어 다니고 있었다. TV에서 많이 보아왔던 그런 모습이었다. 그러니까 거리에서 한가닥 한다는 갱스터들이 많음을 금방 알 수 있는 거였다. 그들 복장의 특징은 예를 들어 중간사이즈가 자기 사이즈지만 실제 그들이 입고 있는 옷은 XL, 제일 큰 사이즈를 입는 것이다. 바지는 허리를 양쪽으로 접어서 허리띠를 매어 바지 통이 일반보다 2배 정도를 길게 끌리게 입고 셔츠는 또 XL 사이즈로 어깨가 축 떨어지고 기장을 길게 늘어뜨려 입고 다니는 것이 전통 감옥복장이다. 밖에서도 흑인이나 멕시칸들이 헐렁한 바지에 무릎까지 긴 T셔츠를 입고 다니는 것도 감옥에서 시작된 패션인 것이다.

원점

사방이 막힌 담

개가 꼬리를 물고 돌아봤자

원점이 듯

사각의 콘크리트 속에 갇혀있는

많은 인간 쓰레기들

종일 돌고 돌아봤자

우물 안 개구리

아!

지루한 여행속에

독백을 털어놓는다

하루 24시간

1년 365일

5년이면 1125일

이곳 역시 멕시칸들이 다수를 차지하고 있다. 다음으로 흑인, 백인, 동양인 순으로 구성되어 있다. 멕시칸에도 남쪽과 북쪽이 다르며 일반 멕시칸과, 찌까노(미국에서 태어난 멕시칸), 멕시칸 마피아, 그리고 멕시칸같이 생겼지만 나라가 다른 과테말라 엘살바도르 등 대강 이렇게 구분되어 있다. 그런데 이곳에서는 멕시칸끼리 특히 남과 북 갱스터들끼리 죽기 살기로 싸우는 것을 볼 수 있었다. 우리나라 경상도와 전라도 사람끼리 앙숙이 듯 빨간색은 북쪽, 즉 샌프란시스코, 새크라멘토, 후래지노, 푸른색은 남쪽 멕시칸을 상징하는 것이다.

흑인들도 색깔로 상징하는데 Blood와 Crips 양대 갱스터로 Blood는 피 색깔대로 붉은 색, Crip 갱스터는 푸른색으로 상징한다. 그리고 일반 흑인강도나 좀도둑, 강간범, 그리고 간혹 아프리카 흑인 등이 있다.

백인은 KKK, Aryan brother, Street Mexican gangsters, Mexican 마피아 등이 있으며 동양인은 보통 베트남인이 제법 많고 그 다음으로 한국인이다.

그러나 남쪽에는 한국 젊은이들이 베트남인들보다 훨씬 많다. 아마 내 추측으로 여자 수감자들은 멕시칸 다음으로 흑인, 백인, 동양인 중엔 한국 여자들이 다수를 차지할 것이라는 생각이 든다. 한국인은 못된 짓들, 돈버는 대는 무슨 짓이든 하니까. 동양인 중에 창피하게도 그것도 인신매매, 창녀직업으로 체포된 여자들이 제일 많을 것 같다. TV나 신문보도대로 매춘부로 잡힌 여성은 거의 한국여성인 것처럼.

감방 살인사건

오늘은 점심을 먹고 난 후 운동장을 걷고 있는데 갑자기 사이렌 소리가 울리며 탕! 탕 두 방의 총소리가 울리며 마이크로 교도관이 총을 겨냥하면서 소리를 지르는 것이다.

"Don't move. Don't walk. Lay down." 모두 현 상태에서 엎드리라고 마이크로 고함을 치는 것이다. 나 역시 길 옆 잔디에 두 손을 위로 벌리고 엎드렸다. 교도관들이 곤봉을 차고 십여 명이 달려왔다. 1층 110번 방으로 우르르 몰려들어간다. 망루에서는 저격수들이 운동장을 향해서 총을 겨누고 있다. 조금 후 110번 방에서 멕시칸 2명이 수갑이 채워져 끌려나오고 앰뷸런스가 앵앵거리며 현관철문을 통해 그 방으로 가고 있다.

앰뷸런스 요원 두 명이 들것을 가지고 방으로 들어가 흑인 한 명을 들고 나오는데 그의 입에는 인공호흡기가 부착되어 있는 것을 볼 수 있었다. 한 마디로 거의 생명이 끊어진 것이다. 나중에 안 일이지만 그날 흑인이 멕시칸들에게 정통으로 심장 가운데 칼침을 받아 피를 너무 순식간에 많이 흘려 거의 죽어서 나갔고 곧 죽었다한다. 그것도 그럴 것이 심장에 구멍이 났으면 방법이 없는 것이다. 덜렁거리는 흑인 친구가 힘만 믿고 멕시칸 갱스터를 잘못 건드린 것이다. 점심식사 후 자기 침대에 잠깐 눈을 감고 누워 있다가 그만 칼침을 맞은 것이다.

그러니 감옥에서 1년에 몇 명씩 죽어 나가는데 대부분 흑인이 희생자가 된다면 좀 아이러니컬하지 않을까? 모두들 죽은 듯이 바닥에 누워 있는데 부분별로 일으켜 세워 각 방으로 모두들 집어넣었다. 오늘부터 'lockdown' 이라고 한다. 최소 2주간 꼼짝없이 방안에서 봉지음식을 먹으며 생활해야 된다는 것이다. 패싸움이 심하게 나거나 살인사건이 나면 보통 2-4주 독방 비슷한 생활을 하게 되는 것이다. 좁은 방에서 오십 여 명이 나가지도 들어가지도 못하며 생활하게 되는 것이다. 변기 2개를 가지고 좁은 방에서 왁자지껄하며 지내니 때론 변기가 넘쳐 똥물이 침대 밑까지 밀려와 똥덩어리를 피해 다니기도 해야 한다.

평상시 같으면 Plumber가 즉시 와서 고쳐주지만 이렇게 벌칙으로 감금이 되면 Plumber도 똑같이 갇혀 있기 때문에 저녁 취침 전 점호시간에 교도관에게 사실을 알려 다음 날이나 오게 되는 것이다. 똥통이나 하수구가 막히면 거의 모든 것이 한꺼번에 막히게 되어있어 샤워실, 세면대 등이 막히니 고통이 말이 아니다. 고약한 냄새하며 삼시 세끼 거의 똑같은 종류의 샌드위치와 우유가 들어있는 봉지식사 등으로 견뎌야 되는 것이다.

감옥에서의 흉기는 주로 수제 칼이나 송곳이다. 아무리 단속이

심해도 구하려 들면 얼마든지 구할 수 있기 때문이다. 내가 직접 경험해봤지만 County jail에서 멕시칸 마피아에게 칼침을 맞을 뻔했듯이 내가 생각하기에는 그곳에서는 불가능할 것 같은데도 어디서 구했는지 수제 칼을 만들어 놓았듯이 그런 곳에 비하면 이곳은 널려 있다고 해도 과언이 아니다. 또한 사형수들만이 갇혀 있는 특별감방에서도 서로 죽인다고 한다. 내가 생각하기에 이들은 이곳 수형생활이 익숙하여 더 안전하고 편한지도 모른다. 그러니까 어느 교도소에 수감되든 얼마를 더 살든 신경 끊고 있는 것이다. 따끈한 밥 세끼에다 신발, 옷, 잠자리에 또한 의료혜택까지 모두 공짜로 제공받고 있으니 그들의 안식처가 바로 이곳이기 때문이다.

석방되고도 갈 곳이 없어 다시 죄를 짓고 일부러 들어온다는 말도 있다. 철새가 자기 살던 곳으로 찾아들 듯 그러니까 어디서든 작고 긴 쇠붙이만 구하면 콘크리트 바닥이나 샤워실 바닥에서 날을 세워 손잡이에 시트를 짤라 단단히 감으면 훌륭한 흉기가 되는 것이다. 정히 쇠붙이를 구하기 힘든 특별사형수 감방 같은 곳에서도 노트나 종이를 이용, 식당에서 먹는 음식 중에 쌀이나 밀가루 음식을 모아 입 속에서 씹어 풀을 만들어 종이 위에 발라 그 종이를 똘똘 말아서 한 쪽이 뾰족하게 만들어 그것을 공격용 무기로 사용하기도 한다. 그걸로 상대방의 얼굴이나 눈, 옆구리를 공격할 때 사용한다.

또한 긴 양말 속에 쇠붙이 덩어리나 자갈, 콘크리트 등을 넣어 양말 끝을 잡고 휘둘러 상대방의 두개골에 구멍을 내는 방법으로 흔히 감방 안에서 사용하는 걸레나 빗자루를 꺾어 뾰족하고 날카로운 면으로 상대방의 얼굴이나 가슴을 공격하는 방법, 상대방이 멍청히 자고 있을 때 가슴을 내리찍는 방법, 끓는 물을 얼굴에 붓는 방법, 특히 폭탄 제조방법을 아는 친구는 이곳에서 사용하는 일반 성냥을 이용해서 성냥개비 알을 뜯고 면도날을 잘게 부셔 넣거나 유리조각을 넣어 폭탄까지도 만든다고 한다.

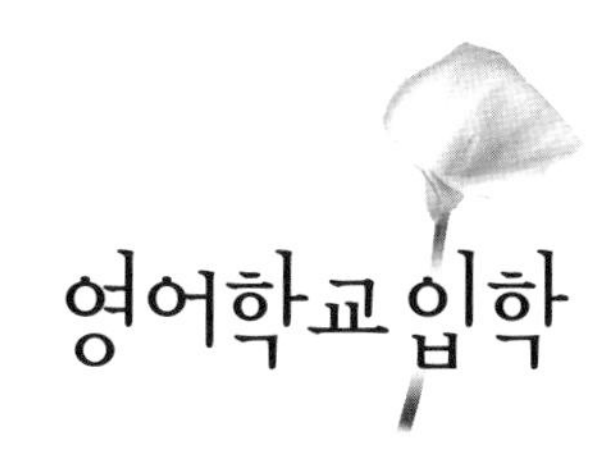

영어학교 입학

이곳에 온지 한 달쯤 지나 상담가와 면담할 때 나는 영어가 부족하니 영어학교에 입학하게 하여 달라고 신청을 하여 드디어 영어학교에 다니게 되었다. 아침식사를 마친 후 9시부터 공부가 시작된다. 교도소 일자건물 입구 대형철문을 벗어나면 바로 앞에 몇 채의 학교건물이 있는데 물론 건물주위는 겹겹이 철조망이 펴져있고 경비가 삼엄하다.

그러나 이런 곳에서 공부를 할 수 있다는 게 얼마나 축복인지. 수업은 오전 3시간, 오후 3시간 월요일부터 금요일까지이다. 영어교재와 연필은 공짜로 지급된다. 한 방에 20여명이 수용되며 우리 반은 여자 백인선생이다. 그런데 고마움도 모르고 여 선생님이 학생들의 질문이나 또는 가르쳐주기 위해 그 학생 옆에서 허리를 굽혀 가르쳐주면 그 옆이나 뒤의 놈들은 여 선생 똥구멍을 향해 손가락으로 쑤시는 시늉을 하기도하고 개 모양 엉덩이를 흔들며 뒤에서 올라타 헐떡거리는 시늉을 하기도하여 옆에서 보는 우리들이 민망하고 미안해 할 때가 한 두 번이 아니다.

물론 그들은 멕시칸들인데 선생님은 알고 있는지 모르는지 관심을 두지 않고 가르치기만 한다. 그런 무식한 놈들을 옆에서 보면 울화통이 터질 때가 한 두 번이 아니다. 남의 나라에 와 죄를 짓고 공짜로 재워주고 밥 먹여 주면서 공부까지 시켜주는데 그 고마움은 모르고 스승한테 보기 민망한 추태를 부리고 있으니 얼마나 한심스러운 인간 쓰레기들인가. 저런 쓰레기와 앞으로 몇 년을 같이 보낼 생각을 하면 숨이 탁탁 막힌다.

이곳에 오자마자 나는 나에게 다짐한 것이 있다. 이렇게 멀리 고생 고생하여 왔는데 사소한 일에 말려들어 개죽음을 해서는 결코 안 된다는 것이 그것이다. 그후 나는 행동 하나 하나에 신중하기로 했다. 그래서 이곳에 온 후 싸움에 말려들거나 싸운 적이 한 번도 없다. 그 만큼 벌점이 없으니 모범수가 되는 것이다. 오기나 객기 또는 욕심을 부리지 않고 아침을 먹으면 학교에 가고 돌아오면 틈틈이 소설을 써 보거나 책을 읽는 것이 소일거리다.

그러나 이곳에서도 나는 싸우는 방법 등을 틈틈이 연구하고 연습해 두었다. 특히 이곳에서 여러 다른 종족으로부터 레벨 One에 있는 Mr. 최를 아느냐고 묻는 것이다. 내가 오기 전 한달 전에 One으로 이감되었다고 한다. 그러니까 그를 칭찬하며 나와 비슷하다는 것이다. Mr. 최는 샌프란시스코에서 직접 도장을 운영하는 태권도 사범이라는 것이다. 그와는 키나 체격이나 외모도 많이 닮았다고 하며 나보고도 태권도 유단자냐고 물었다. 나는 그들에게 유단자는 아니고 운동을 했다며 대꾸를 하곤 했다.

여하튼 그 덕분에 한껏 내가 이곳에 오자마자 뜨게 된 것이다. 몇 명 안 되는 동양인 중에 범상한 Mr. 최의 외모에 시비를 걸어오는 자가 없는 것이다. 나 역시도 그의 덕을 많이 본 것 같다. 지금까지 누구하나 시비를 걸거나 치근덕거리는 자가 없었기 때문이다. 운이 따랐는지 열심히 해서인지 결국 나는 레벨 one으로 가게 되었다. 그런 대로 한 고비 넘긴 셈이다. 옆 친구들에게 약하게 보이면 통조림 하나 달라, 라면 하나 달라, 생트집이고 거절당하면 느닷없이 눈덩이에 번개 펀치가 날아드는 것이다.

얼마 후 간단히 짐을 꾸려 레벨 one으로 이감되었다. 레벨 one이라고 해봐야 철문 하나 사이 건물이다. 그러나 분위기는 훨씬 좋은 것 같이 느껴졌다. 여하튼 나는 행동거지를 조심하려고 신경을 썼다. 이튿날 내가 이곳에 왔다는 소문을 듣고 Mr. 최 사범이 내 방으로 찾아왔다. 그 동안 최 사범도 동료들에게 나의 소문을 여러 번 들어왔다는 것이다. 내가 유명해서가 아니라 오히려 최 사범이 유명하다보니 덩달아 나 역시 유명세를 탄 것 같다. 모든 면에서 속된 말로 쪼다같이 보이지 않았기 때문이다. 내 첫눈에도 그가 범상치 않게 보였다. 그리 크지 않은 당당한 체격에 콧수염을 짧게 키웠고 몸 전체가 근육질에 단단하게 균형이 잡혀 있는 것이 차돌같이 보였다.

우리는 그 동안 서로에 대해 이야기를 많이 들었다며 통성명을 하고 여러 이야기를 나누었다. 또한 그는 우리 방 여러 친구들에게 나를 소개해주며 나의 친구니 잘 좀 부탁한다고 일일이 당부를 해주는 것이다. 이곳에선 모두들에게 존경받고 무시 못하는 괴력의 사나이이기 때문에 분위기는 삽시간에 제압되었다. 그는 가끔 자기 방에서 괴력을 보여주기도 하지만 중년 나이에 점잖게 행동을 하니 시비를 걸어 올 일이 없는 것 같았다. 나는 그 분처럼 무술시범을 보일 필요도 없이 무술사범 측에 들게 되었던 것이다. 가만히 앉아서 제 2의 최 사범이 된 것이다. 역시 하늘은 스스로 돕는 자를 돕는다.

2불짜리 항문섹스

일반 레벨 one으로 넘어오니 임시로 무보직이 되며 낮에 임시 착출이 되어 운동장 청소를 하고 있었다. 한 흑인 친구가 나에게 관심 있게 다가와 말을 건넸다. 자기 이름을 소개하고 내게 이름이 무엇이냐고 물었다. 나는 Tom이라고 했다. 그는 이것저것 이야기를 조금 하고는 본색을 드러내며 말을 좀 더 다정스럽게 하는 것이다. 그러면서 "Do you wanna have sex with me?" 라는 것이다. 나는 깜짝 놀라서 "What?" 하고 물었다. 처음에는 거의 뜻을 알아들을 수 없었다.

그도 그럴 것이 새까맣게 생긴 흑인 놈이 섹스를 같이 하자니 놀랄 수밖에. 그러나 모든 일에 관심이 남달리 많은 나로서는 그냥 물러설 수 없는 일, "How?" 어떻게 하느냐 물어봤다. 그는 안색하나 변하지 않고 말을 하는 거였다. "Whatever you want. How much? Two dollars or 4cup ramens?" "I' ll think about it. I will let you know, ok?" 나는 2불이 없어서가 아니라 동성애자의 구강섹스는 하고 싶지 않기 때문이다.

나중에 알게 된 일이지만 이 흑인아이는 호모로서 단돈 몇 불에 어디서든 원하는 대로 벌려주고 빨아주고 한다는 것이다. 참치 캔 몇 개만 주어도 어디든 침대이든 샤워실이든 원하는 대로 해준다는 것이다. 그러나 내가 보기엔 서비스를 해주는 것이 아니라 자기가 좋아서 즐기는 것 같다는 생각이 들었다.

2박 3일의 가족

레벨 one으로 옮기자마자 내가 첫 번째 요청한 것은 우리 가족 즉 family visit 신청서였다. 그건 직계가족, 그러니까 수감자의 아내나 자식, 부모나 친형제에 국한되어 만날 수 있는 제도이다. 교도소 건물 바로 앞 영어학교 옆쪽에 있는 건물로 방 2개에 거실과 샤워실 등 무척 시설이 잘 되어 있는 단층 짜리 아파트 같은 방에서 만날 수 있는 것인데 2박 3일을 가족과 함께 지낼 수 있는 제도이다.

신청한 후 보통 6개월을 기다리면 가능한 것인데 2박 3일을 가족과 함께 가지고 온 음식을 먹고, 요리를 직접 해먹으며 함께 사는 것이니 얼마나 고대되는지. 물론 밖으로는 나가지 못하고 방에서만 주로 지내야 하지만 그래도 이런 천국생활이 또 어디 있겠는가.

그야말로 이 제도는 시간적, 금전적, 육체적으로 여유 있는 가족에게만 차례가 배당되는 꿈속의 면회제도인 것이다. 그러니 레벨 two에서는 꿈도 못 꿀 일이니 그간 얼마나 이곳으로 이감되기를 기다렸는지.

눈만 감으면 떠오르는 아내와 아들들. 이 소중한 내 가족과 이제 얼마후면 만나서 함께 자고 함께 먹고 함께 일어나고 함께 살을 맞대고 지낼 수 있다니… 그간 얼마나 많은 날들을 함께 먹고 함께 자고 함께 살았건만 왜 그땐 그 소중함을 몰랐을까.

가족! 피를 나눈 가족이라는 게 얼마나 소중하고 귀한 건지 난 그간 너무나 소중한 걸 깨닫지 못하고 살았다. 사람이 살면서 뭐가 귀하고 뭐가 중한지 너무도 모르고 허송세월만 했다.

함께 있어만 줘도 힘이 되는 가족! 생명도 나눠 줄 수 있는 그 진한 핏줄! 난 왜 그걸 몰랐단 말인가. 숨을 쉬면서도 공기의 진가를 모르듯, 남편이라면 하늘로 떠받드는 여자중의 여자 사랑하는 내 아내! 세상 그 무엇과도 바꿀 수 없는 나의 분신이며 또 하나의 나의 생명인 나의 귀한 아들들! 아– 나는 왜 이제야 철이 드는 것일까.

핏줄의 소중함을 나는 그 동안 너무나 의식하지 못하고 살았다. 굶고 있어도 배부를 그 좋은 날들을 짜증과 불만과 원망과 한숨으로 살았으니 난 남편이나 아버지로서는 물론, 한 인간, 한 사나이로서도 실격이다. 그럼에도 나를 믿어주고 사랑하고 의지하고 애태우며 그리워하는 이 핏줄, 내 가족들에게 이제 난 어떻게 무엇을 해줘야 하는가. 생각해보니 난 정말로 행복한 사람이다.

하루가 천년같이 지루하게 가족을 애타게 기다리며 지낸지도 6개월이 다 되어 가는 것 같다. 요즘 꿈엔 자주 아내가 나타나곤 한다. 내 앞에서 알몸으로 샤워를 하는 모습, 부드러운 향내를 풍기며 내 가슴에 안기며 키스하는 모습, 심한 날에는 끈적하게 몽정까지도 하곤 한다. 아닌게 아니라 건강한 젊은이들에게 교도소 생활이 더 어려운 것은 성 문제이기도 하다.

드디어 내일이면 아내와 아들들을 만나는 날이다. 비록 죄수복이지만 특별히 세탁소에서 일하는 친구들에게 라면 2개를 주고 세탁을 하여 칼날 같이 주름을 잡아 걸어놓았다. 이튿날 아침식사 후 칼날 옷을 갈아입고는 두 근 반 세 근 반 마이크에서 내 이름만 호명되기를 기다리고 있었다. 드디어 내 이름이 호명되었다.

나는 커다란 출입구 철문 사무실에 가서 신분증과 번호를 알려주고 200ft 앞에 있는 건물로 갔다. 문 앞에 서서 떨리는 마음을 가다듬고 심호흡을 크게 한번 한 다음 노크를 했다. 아내가 문을 열며 환한 모습으로 나를 맞아주었다. 소파에 앉아 있던 두 아들이 아빠를 보고 웃으면서 달려온다.

나는 두 아이를 가슴에 껴안은 채 고맙다고, 미안하다고, 끝도 없이 울면서 그 말만 반복했다. 이 먼 곳까지 남편이라고, 아버지라고 이것저것 따지거나 가리지 않고 단 이틀이라도 함께 있고싶어 달려온 아내와 아들들에게 고맙다, 미안하다는 말 이외는 다른 할 말이 없었다.

이제 2박 3일간은 사랑하는 내 가족과 지낼 수 있다는 것만 생각하자. 2박 3일 그 이후 이별도 생각하지 말자. 나는 마음을 가다듬었다. 이 순간만은 이 세상에서 가장 행복한 사람 같았다. TV를 보며 수근거리는 애들이나 부엌에서 음식을 준비하고 있는 아내나 마음이 들떠 있기는 마찬가지인지 얼굴에 그저 웃음뿐이다.

TV 보는 아이들을 남겨두고 나는 아내에게 멀리서 오느라고 고생했으니 먼저 따끈한 물로 샤워부터 하라고 했다. 그리고 나는 눈물로 범벅된 얼굴을 찬물로 씻으며 정신을 차렸다. 씻고 있는 아내의 모습은 천사 같았다. 남편과 자식을 위해 나의 모진 핍박과 짜증에도 얼굴하나 찡그리지 않고 참고 살아온 아내, 자기 자신을 태우며 살아온 나의 보배! 그런 아내를, 그 귀한 보배를 이제사 내가 알아보다니….

채 물기를 말리지 않은 아내의 모습을 보니 오랜만에 난 남자가 되어 있었다. 벌써 2년이 넘도록 난 사나이임을 잊은 채 살지 않았던가. 나는 아내를 으스러지게 껴안았다. 그 동안 얼마나 안아보고 싶었던 사람인가. 얼마나 맡아보고 싶던 아내의 냄새인가.

아내의 손맛이 서린 갈비, 김치, 김밥… 나는 군침이 절로 넘어갔다.

"식사합시다" 아내의 말이 떨어지자 모두들 식탁 앞으로 모였다. 오랜만에, 정말 오랜만에 우리 네 식구가 둘러앉았다. 아내가 식사 기도를 하겠다며 기도를 시작했다.

"하나님 아버지, 감사합니다. 오늘 이렇게 두 아이들과 함께 아빠를 만나게 되어 정말 감사합니다." 어느새 아내는 흐느끼느라고 기도를 이어가지 못했다. 나도 입술을 꼭 깨물고 하염없이 눈물만 흘렸다. "우리 네 식구 다시 만날 수 있도록 Jim아빠를 도와주세요."

우리 네 식구는 눈물을 닦느라고 정신없었다. 눈물바다를 이루던 기도가 끝나고 음식을 먹기 시작했다. 얼마나 먹고 싶던 한식인가. 한국사람은 어쩔 수 없는가보다. 아내는 그간의 일을 보고하느라 바쁘다. 둘째는 아빠가 없는대도 영재학교에 들어가 특수교육을 받는다는 얘기며, 큰아들은 어른처럼 이것저것 엄마를 잘 돕는다는 얘기며, 언니의 도움이 컸는데 아빠가 없으니 이모가 그 자리를 메우려고 한 달에 한 번씩 중가주에서 내려와 아이들을 데리고 유명식당도 가고 용돈도 주며 용기를 준다는 얘기 등 아내의 말은 계속됐고 맛있게 먹는 음식 맛에 더더욱 흥이 나게 했다.

그러나 아내의 얼굴은 "나 많이 힘들어요"라고 써 있었고 나는 밥상머리에서 떠들어대는 아내의 수다는 나에게 집 걱정 안 시키려는 그 여인만의 특별한 '남편 사랑법' 임을 이미 알고 있었다.

사춘기 사내애들 둘을 키우는데 어찌 힘든 일이 없겠으며, 돈버는 남편이 없는데 어찌 돈걱정이 없겠는가. 그리고 살인자의 아내라는 남들의 따가운 시선인들 왜 없겠는가.

그런데 아내는 지금 그걸 내게 감추고 저 핏기 없는 얼굴로 남편인 내 마음을 편하게 하려고 좋은 말만 골라가며 떠드는 것이다. 연약한 몸을 이끌고 이 못난 남편을 위해 불철주야 그야말로 비상기도로 매달리며 살고 있으려니 생각하니 정말로 미안한 마음에 몸 둘 바를 모를 지경이다.

난 다시 머리를 흔들며 생각을 추슬렀다. 2박 3일 동안은 어쨌거나 모든 걸 잊고 밖의 세계에서처럼 불고기나 갈비도 앞마당 바

비큐 스테이션에서 구워먹고 불쌍한 아내에게 못 다한 사랑도 마음껏 해주고 언제 다시 만날지 모를 아이들도 실컷 안아 주리라고.

그런데 북가주 최북단에 자리잡고 있는 이곳까지 가족 면회를 오는 사람은 결코 많을 수가 없는데 아내는 여기까지 어떻게 찾아왔는지 믿어지지가 않아서 몇 번 물어보았다. 아내는 두 아이들 옆에 태우고 지도를 보며 여기까지 찾아왔다는 것이다. 그러나 훗날 아내는 그때 어떻게 어떤 기운으로 용기가 나서 찾아갔는지 자기 자신도 믿어지지가 않는다고 했다.

사막을 지나, 울창한 숲 속을 지나, 목재를 나르는 커다란 트럭만 지나가는 산길을 지나, 아직도 산꼭대기에는 눈이 보이며 다시 끝없는 사막을 지나, 기억이 나질 않는다는 것이다.

지도 한 장을 들고 오직 남편을 만난다는 그 희망 하나로 장장 14시간을 달린 여자! 그런 바보 같은 여자가 내 아내다.

"어린아이들이지만 벌써 11-14살이 된 10대가 옆에 두 명이나 있으니 두렵지가 않았어요." 이렇게 그때의 기분을 말하는 아내는 그때 감명 깊게 느낀 것은 '이런 산골에서도 구세군들의 활동이 소문도 없이 이루어지고 있구나' 라는 것이란다. 그들은 구세군 사무실 빌딩 주차장에 면회 온 사람들의 차를 세워놓게 하고는 그들의 차(Van)로 면회장까지 데려다주면서 혹 시장에 들러 필요한 물건이라도 사게끔 하여 면회장 집까지 데려다 준다는 것이다. 그들은 이런 오지에서 남들이 외면한 어려운 일들을 생색 한 번 내지 않고 열심히 어려운 사람을 도와가며 봉사하고 있는 것이다.

그리고 이곳에서 석방되는 친구들에겐 간단한 음식과 그들이 당장 입을 옷가지 등을 주며 그들이 타고 갈 버스 정류장까지 차에 태워 안내해 준다고 한다. 매년 크리스마스 때면 시장 앞에 자선 냄비가 걸리는데 그렇게 십시일반 모인 작은 돈으로 세계 곳곳에서 보이지 않게 봉사하는 그들에게 진심으로 감사드린다.

어제 아침 10시경에 만나 하루를 자고 나니 벌써 내일이 코앞이다. 내일 아침 9시면 우리는 또다시 헤어져야 한다. 오늘밤이 너무 짧다. 자고 나면 아침 식사준비와 식사 후 곧바로 떠날 준비를 해야 한다. 나는 아내를 바짝 껴안았다. 내일 아침까지 떨어지지 않도록 껴안는다. 아내는 벌써 일어나 아침식사 준비와 갈 차비를 꾸린다. 아침상을 앞에 두고 우리는 다시 한 번 둘러앉아 서로서로 손을 잡고 각자 기도를 한다.

나도 오랜만에 하나님을 찾는다.

"하나님! 연약한 나의 아내와 어린 두 아이들을 보살펴주십시오. 못난 남편, 모자라는 아빠를 찾아 삼천리를 물어 물어 찾아왔습니다. 이제 이들은 자기 자리로 돌아가야 합니다. 이들 옆에 빈자리가 너무 큽니다. 그 큰 자리를 하나님이 채워주옵소서." 우린 또 다시 눈물 홍수를 이루고 나는 더 이상 말을 이어가지 못하고 침묵으로 일관하다가 아멘! 하고 만다.

떠나 보내는 나는 마음이 무겁다. 지금 헤어지면 앞으로 14시간은 아내가 운전하고 가야된다는 생각을 하니 다음에는 아내가 온다고 해도 말려야겠다는 생각을 했다. 나는 두 아이와 아내를 번갈아 가며 꼭 껴안았다.

"용서해라. 못난 아빠를– I'm sorry. I love you."

초겨울 밤

텅 빈 마음

초겨울

삭풍 낙엽따라

빈 마음의 자리를 채워본다

오 백년 같은 긴 세월

풍진 고통이 긴 만큼

성글게 영글리라

매미의 삶이 될 망정

유충의 긴 동면에서

깨어나고 싶다

짧은 남은 생을 위해

추했던 마음을

낙엽에 띄워 보낸다

스산한 겨울 밤

작은 창가에 낙엽 지는 소리

떨어짐 속에 봄이 기다리겠지.

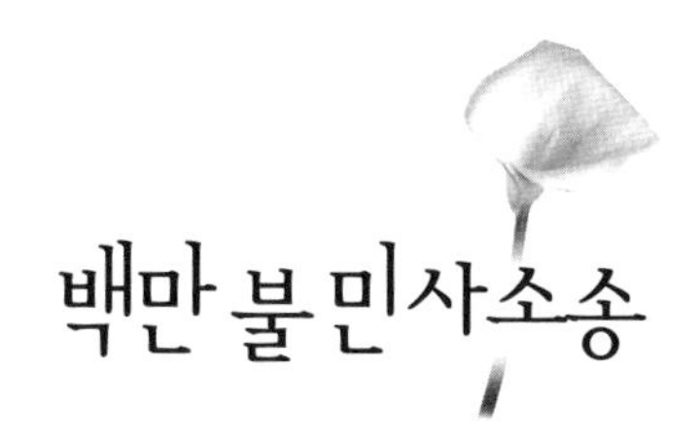

백만 불 민사소송

아내와 두 아들이 이렇게 먼 곳까지 가족면회를 하고 간 후로 나는 희망과 기대와 새로운 설계를 가지고 열심히 적응하며 교도소 생활을 하고 있었다. 한 달쯤 지나서인가 아내의 편지가 왔다. 우리 가정에 백만 불 민사소송사건이 들어왔다는 청천 벽력같은 소리였다.

다름 아닌 피해자 직계가족의 남은 아이들과 가족이 살아가기 위해 민사소송을 걸어온 것이다. 그것도 백만 불! 나의 총 재산이라고 해봐야 월부로 살아가는 집 한 채와 내가 하던 정원사 사업이 전부인데-. 내 재산을 몽땅 쓸어가고 우리 아들과 아내는 길거리로 내몰겠다는 뜻이리라.

남자가 할 일을 여자가 하니 간신히 현상유지하며 남편 옥바라지하는 게 고작인데 두 아이들 키우며 힘겹게 살아가는 여인에게 또 다시 시련이 닥친 것이다. 하기야 미국에서는 가진 것이 있으면 죄를 짓지 말라는 말이 있듯이 재판이 끝나면 민사 소송 즉 변호사들이 앞 다투어 소송을 해주며 가진 것에 10배 이상 받아준다고 한다지 않는가. 물론 의도와 명목은 피해자 가족을 돕는다는 것이겠지만. 상대방이 정식으로 변호사를 통해 민사소송을 걸어온 이상 우리측에서도 또한 정식으로 변호사를 선임 대응하여 재판을 해야만 하는 것이다. 그렇지 않으면 가만 앉아서 모든 재산을 눈뜨고 빼앗기는 것이다. 그러면 집 한 채마저도 곧바로 lien이 들어와 차압딱지가 붙게 되는 것이다.

현실은 냉혹한 것. 결국 아내는 다시 박 변호사를 찾게 되었다. 박 변호사는 그렇지 않아도 내 아내가 어떻게 살아가고 있는지 궁금해하던 차에 뜻밖의 방문에 놀라워하더라는 것이다. 그리고 자초지종을 열심히 다 듣고 서류를 살펴본 후 자기 그룹 중에 민사소송만 전문으로 하는 미국변호사를 소개하며 급한 대로 빨리 찾아가라고 하더라는 것이다.

다음날 아내는 전형적 미국 백인변호사를 만나 서류를 보여주고 그분과 상의를 했단다. 그 변호사는 아내의 이야기를 다 듣고 나더니 농담 반 진담 반으로 너의 남편과 제일 먼저 이혼을 하라고 하더라는 것. 그 길이 현재로선 최선의 방법이라고 가르쳐 주더라는 것이다. 이유는 미국 주류사회에서는 나와 같은 케이스로 아내가 남편을 5-10년 기다리며 옥바라지를 한다는 것은 상상도 못하는 일이기 때문이다. 아내는 농담이든 진담이든 일언지하에 아니라고, 그럴 수 없다고, 분명한 의사를 전달하였다 한다. 미국 변호사도 아내의 확고한 의중을 알고는 또한 현실에 부딪힌 우리 가족의 형편을 안 후 이번 사건을 받아주기로 했다는 것이다.

모든 소송 사건은 특히 우리 같은 사건은, 이기든 지든 돈이 나오지 않는 사건은 먼저 예약금을 걸어야 되는 것이 상식인데 이 변호사는 알았다며 서류접수 비용으로 500불만 내고 가라고 했다 한다. 그러면서 최후재판이 정식으로 시작되면 그때 다시 이야기하자며 오히려 아내를 안심시키고 돌려보냈다는 것이다. 그후 상대방 변호사와 통화를 하고 법원에도 아내와 같이 2번 정도 갔었다고 한다. 또한 재판장에서 피해자 가족 아내를 직접 면담할 수 있는 권한이 있기 때문에 우리 변호사는 그 여인을 만났다고 하면서 믿거나 말거나 우리 변호사가 그 가족에게 단단히 화가 나 있었다는 것이다. 정확한 이유는 잘 모르지만 첫 인상도 매우 좋지 않게 보였으며 무엇보다도 솔직하지 않고 지금 이런 상황에선 한 마디로 피해소송을 도의적으로 할 수 없다는 결론인 것 같았다.

특히 그쪽 변호사에게 화가 잔뜩 나 있으며 그런 놈은 같은 변호사지만 변호사도 아니라며 화를 내더라는 것이다. 아마 그들 세계에서도 그들대로의 최소한 윤리 도덕적 직업의식이 있는 것 같았다. 여하튼 아내는 그런 대로 가느다란 희망을 갖고 미국 변호사에게 모든 것을 의지할 수밖에 없었다. 몇 주 후 어느 날 변호사가 아내를 만나자고 연락이 와서 그의 사무실을 찾아갔는데 문을 열고 들어서는 아내를 반갑게 맞이하며 축하한다고, 우리가 이겼다고 악수를 청하더라는 것, 그러면서 아내보다 그가 더 기뻐서 좋아하더라는 것이다.

그는 아내에게 서류를 보여주고 사인을 하라며 이제 모든 것이다 잘 끝났다고 알려주더라는 것이다. 그곳에서도 정말 있을 수 없는 믿어지지 않는 일들이 벌어지고 있었던 것이다. 그 변호사는 모든 서류정리를 다 끝내고 아내에게 520불 법원서류 접수비만 내라고 하셨다는 것이다. 분명히 아내가 알고 있기로도 상대방 피해자 가족과 만나고 그쪽 변호사도 시간을 내어 만났는데 너무나 저렴한 비용을 내라니 어안이 벙벙해 지더라는 것이다.

보통 변호사들이 한 번 사건으로 인해 누구와 만나든 최소 몇 천불 내지 몇 만 불을 지불해야되는 것은 상식적인 일인데… 그런데 어찌 이렇게 기적 같은 일들이 자꾸 일어나는 것일까. 모두가 기적이다. 감사할 뿐이다. 그리고 또다시 깨달은 것은 끝까지 정직해야 된다는 것이다.

만 분에 일이라도 우리가 그분들에게 거짓말을 했다면 그분들이 우리와 아무 관련이 없는 하나의 손님일진대 과연 우리 가족에게 그렇게 커다란 선물을 하겠느냐 하는 것이다. 그래서 우리는 또 한번의 기적을 만났고 세 번째 기적을 체험한 것이다. 과연 한가지 사건에 세 가지 기적이 일어날 수 있을까. 첫 번째는 5년 감형사건이고, 두 번째는 변호사 비용 탕감사건이고, 세 번째는 이번 미국 변호사의 봉사사건이다.

하나님께서 우리를 불쌍히 여기시고 아내의 기도를 들어주신 것이라 믿는다. 나는 어서 여기서 나가서 이 모든 분들의 은혜를 갚기 위해서라도 열심히 살면서 나도 남을 돕고 살아야겠다고 다짐했다.

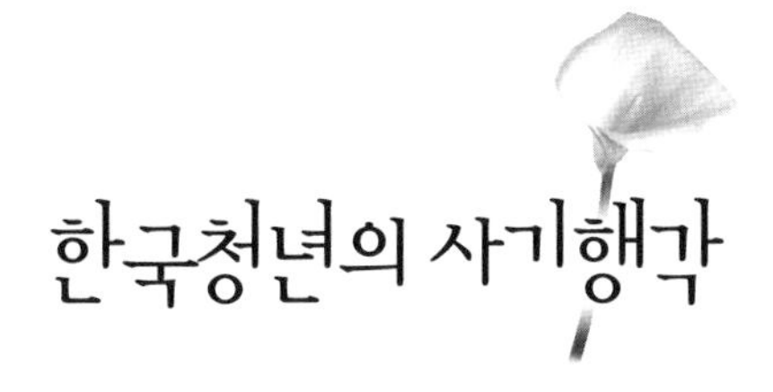

한국청년의 사기행각

백만 불 민사소송 사건이 들어온 후 불안과 초조, 흥분 속에 하루하루를 보내고 있을 때였다. 레벨 one에는 최 사범과 나 그리고 1.5세 한국청년 이렇게 세 명이 있었다. 최 사범과는 가끔 서로 안부나 묻고 지나다 만나면 잠시 이야기를 나누는 사이였다. 이곳에 총 동양인은 8명인데 한국 3명, 베트남 3명, 캄보디아 1명, 중국 1명, 일본인은 없었다. 이것 하나만 보더라도 미국에서는 한국인은 아시아 국가 중 타인종에 빠질세라 언제나 1, 2등을 차지하는 것 같다. 한국 사람들은 왜 이렇게 크고 작은 사건에 연루된 범죄자가 많은지 때로는 내 자신이 부끄러울 때가 많다.

기본 인간성 상실이 주원인일까? 인간성이란 하루아침에 형성되는 것이 아니다. 수단 방법을 가리지 않는 사회에선 학생들 사이에도 정직했다간 어느새 왕따가 될 수도 있는 사회이다. 인간이 정직하지 못하면 자기도 모르게 범죄행위에 직간접적으로 빠질 수도 있는 것. 부모가 그런 식으로 재물을 모았다면 그것을 보고 자란 자녀들도 자라서 그보다 더 무섭게 지능적으로 거짓말을 하는 사업가

나 비정상적인 한 인간이 다시 생기는 것 아닌가.

이곳에 와 알게된 1.5세 한국청년은 영어도 잘하고 한국말도 잘해 만나면 형! 형! 하면서 붙임성도 좋고 성격이 활달해 나와는 별 구김 없이 지내고 있었다. 자주 만나서 서로 이야기하다보니 집안 이야기도 나오고 서로 믿을만한 형제같이 되었다. 그런데 하루는 백만 불 소송사건 이야기를 나누게 되었는데 이 젊은 친구가 더 열을 내며 "형! 그렇게 가만 놔두면 안 되지. 손 좀 봐야지. 이런 죽일 놈이 있나"하며 나보다 더 열을 내는 것이다.

"형네 식구들을 거리로 내몰려고 하는 건데 가만히 앉아서 당할 거야?" "당하지 않으면?" "형, 염려 말아요. 내가 LA에 친한 흑인 갱스터 친구들이 많은데 손 좀 봐줄게. 형, 내가 다음달에 나가잖아. 나가는 즉시 그 문제부터 해결할게." 그는 그러면서 그쪽 인적사항과 전에 어디서 살았나를 알려달라는 것이다. 자기는 밖에 나가면 여기 저기에 감추어 둔 자금이 얼마든지 있어 걱정하지 말라는 것이다. "글쎄, 생각 좀 해보자." 나는 이렇게 답변하고 그 청년과 매일같이 더 가까워졌다. 매일 라면을 같이 끓여 먹고 아내에게 받은 삼양자장면을 끓여 먹으면 일류 중국음식점에서 먹는 것보다 더 맛있다고 행복해했다.

컵 라면은 비싸기 때문에 사먹을 수가 없고 봉지라면을 따뜻한 물에 담가 부풀게 한 후 물을 빼고 난 라면에 참치 캔과 마요네즈를 섞어 비스킷에 찍어 먹는 것이 최고의 간식거리이다. 그러나 우리에겐 입에 맞지 않는다. 라면은 물에 끓여야 국수 맛이 나는 법인데 그야말로 특허감인 방법이 있었다. 감방에서 라면을 맛있게 끓이는 법은 내가 최고인 것 같다. 우선 물을 끓이는 방법은 약간 큰 통 조림통에 라면과 따끈한 물을 받아 놓고 화장지를 손가락 다섯 개를 핀 채로 모아 화장실에서 사용하는 화장지를 손가락 끝에 돌돌 말아 가는 것이다. 한 열 번 정도 감아 빼면 화장지 원통형이 된다. 이런 것을 네댓 개 만들어 변기 옆에 대기해 놓는다. 변기 끝에 막대기를 올려놓고 그 위에 원통형 화장지를 올려놓고 밑에다 불을 붙이면 원통형이라 불이 파랗게 연기도 별로 없이 타게된다. 한 개가 다 타면 그대로 변기에 던져 변기 물을 틀어버리면 재가 물과 함께 하수구로 빠져나가게 된다.

이런 식으로 3-4개를 계속 태우면 물이 끓게 된다. 일단 한 번만 물이 보글보글 끓으면 면 맛이 천지 차이다. 쫄깃한게 라면 맛이 제대로 나는 것이다. 그 물에 소스를 넣어 먹으면 감방에서 최고의 라면 맛이 되는 것이다. 이곳에서 명물은 지금까지 처음으로 나만이 소포로 받은 삼양자장면을 끓여 먹는 것이다. 그 맛은 둘이 먹다 둘이 다 죽어도 모른다. 오죽하면 석방 후 특허를 낼 생각까지 농담 삼아 했었다. 아마도 교도소에서 자장면을 비벼먹은 사람은 내가 처음이자 마지막일 것이다. 하여튼 이 맛있는 라면을 그 청년과 나눠 먹으며 나는 그에게 많은 친절을 베풀었다.

"여하튼 형, 지금 나는 돈은 밖에 얼마든지 있는데 송금하다 걸리면 잘못하여 다 들통이 날 수도 있으니 용돈도 받을 수 없고 하니 미안해요."

그는 자기가 나가면 내 앞으로 돈도 넣어주겠다고 장담을 하는 것이다. 나는 이곳에서 내가 할 수 있는 것 모든 것을 그와 함께 쓰고 먹고 지냈다. 그리고 다음주면 자기가 출소하는데 샌프란시스코 누구 앞으로 돈을 조금 보내달라는 것이다.

"다음주? 샌프란시스코엔 누가 있는데?"

"응! 그곳에 엄마가 있는데 LA에 가기 전에 먼저 엄마한테 들려서 가고 싶어서 그래요. 형이 돈을 좀 보내주면 엄마한테 연락을 해서 내가 보내준 것으로 하고 기쁘게 만난 후 LA로 가서는 곧바로 다시 형한테 돈을 보내주고 난 후 기회를 봐서 사건을 해결해 줄 테니 염려 말아."

그런 것쯤은 코끼리 비스킷이라는 것이다. 그러나 그를 믿기는 했지만 송금까지는 해줄 수 없다고 잘라 말했다. 아내가 송금해 줄 돈도 없고 내가 여기서 가지고 있는 모두를 주더라도 더 이상 사건에 말려들고 싶지 않아서이다. 일주일 후 그를 보낸 후 얼마나 후회했는지 모른다. 고소인 신상명세서를 자세히 그에게 알려준 것이 너무나 마음에 걸리는 것이다. 인간이 이렇게 어리석고 우매한가. 나의 IQ가 이 정도인가. 내 자신이 미워지기도 한다. 그런데 인간의 심리란 유혹에 빠져들기 시작하면 앞뒤가 보이지 않게 되는 것 같다. 많은 인간들이 이래서 남을 해하기도 하고 피해를 보기도 하는 것 같다. 나는 그 후 하루하루가 더 불안 초조할 수밖에 없었다.

혹 그가 나쁜 짓을 하여 나의 가족이나 그쪽 가족에 피해를 준다면 나는 어떻게 되는 것인가. 나중에 모든 것이 폭로되면 어떻게 되는 것인가. 나는 완전히 돌아버릴 것만 같았다. 그렇게 벌써 한 달 반이 지났다. 밖에서 아무 소식이 없다. 오늘도 이곳에 새로운 이감자들이 들어오는 날이다. 나도 이곳 레벨 one에 있는 사무실에서 모두 수속을 마친 후 레벨 two 각 방에 배치되어 거의 일 년 이상 그곳에서 모범수로 지낸 후 레벨 one으로 오게 되었다. 오늘도 오십 여 명이 대형 버스에서 죽 내려섰다. 그들은 일렬로 죽 서서 우리 쪽 운동장 옆으로 걸어서 사무실로 들어가는 것이다.

이때 우리들도 새로운 얼굴들을 보려고 그쪽으로 몰려가 구경을 하는 것이다. 하나, 둘, 열… 이십 여 명쯤 뒤에 동양친구 하나가 내린다. 나는 또 하나 동양사람이 오나보다 하고 그쪽을 자세히 쳐다보았다. 그런데 그가 David였다. 그놈 이름이 David였다. 나도 모르게 그의 이름을 불렀다.

"David, 너 어떻게 된 거야?"

"형 말 말아. 재수가 없으려니까. 나가자마자 한탕 붙었지. 그래서 또 걸렸어. 염려 말어. 형! 신세는 갚을게."

그는 얼굴 색 하나 변하지 않고 열변을 토하고 있다. 그래, 그래! 신세 갚지 않아도 좋으니 네가 고맙다. 잡혀 들어온 것이 고맙다. 나는 휴- 하고 긴 한숨을 쉬었다. 인간이 살아가면서 고맙다의 의미도 여러 가지구나 싶었다. 고개가 절로 흔들어졌다. 그는 수속을 끝내고 곧바로 레벨 two로 갔다. 그곳에서부터 다시 시작해야 되기 때문이다. 나는 그와 다시 만날 일이 아니, 만날 수가 없다. 아니 영원히 만나고 싶지 않다.

젊은 한국의사

최 사범이 출소하게 되었고 나는 친구 한 사람이 없어져서 많이 서운했다. 그러나 그의 앞길에 행운이 있기를 진심으로 빌었다. 그러고 나니 한국 사람은 나 하나가 되었다. 물론 나에게 사기를 친 1.5세 David이 있지만 그는 그곳에 1년 이상 있어야 되고 나는 1년 못되어서 분명 이곳을 떠나게 되어 있으니 만날 일도 없다. 최 사범이 떠난 후 30대 후반의 중년의 한국인 친구가 새로 들어왔다. 그 동안 레벨 two에서 있었다고 한다. 여하튼 외롭던 나는 쉽게 가까워질 수가 있었다. 물론 나는 한 번의 실수를 되새겨 다시는 그런 과오는 없을 것이라고 다짐했기에 그냥 있는 그대로 서로 대화를 자주 나누었다.

이 친구의 원래 직업은 내과 의사였다. 의과대학을 우수한 성적으로 졸업한 수재이며, 30대에 35년 전에 한인타운에서 병원을 개업한 의사이다. 그의 이야기를 들어보니 그의 인생 역시 한편의 기막힌 드라마였다. 홀어머니 밑에서 자란 외아들이란다. 그 당시 몇 안 되는 잘 나가는 젊은 내과 의사라 중매 끝에 결혼도 하게 되었단다. 물론 자기 아내는 자기가 봐도 미인 중에 미인이란다. 그의 말대로 미스코리아 감이란다. 결혼 2년 후 딸 하나를 낳았고 하루가 다르게 병원도 수입이 늘어가고 상류층 가정이 되어가고 있었던 것이다. 어느 날 아내와 서부대륙여행을 떠났다가 라스베가스에 들리게 되었다. 아내에게 슬럿머신을 하게끔 하고 자기는 포커판에 앉아 몇 불 짜리 도박을 시작하였다는 것이다.

잃고 따고 몇 번 놀다가 돈이 들어오기 시작하는데 즉, 끗발이 나기 시작하는데 순식간에 4천 불을 따게 되었다는 것이다. 역시 천재인 이 친구는 머리 회전이 빨라 노름을 쉽게 잘 하게 되었다는 것이다. 2시간 후 4천불을 가지고 현금으로 바꿔 의기양양하게 슬럿머신을 하는 아내를 만나 백불 짜리 40장을 보여주며(35년 전 100불이면 큰돈이었다) 별거 아니라고 자랑하며 아내를 끌다시피 데리고 고급 쇼핑센터로 가서 명품으로 핸드백과 구두, 옷 등 천불을 쓰니 아내의 위아래가 쫙 명품이 되더라는 것이다. 얼굴이 최고 미인이니 사람까지 명품이 되었다는 것이다.

쇼핑을 즐기고 고급 레스토랑에서 최고급 식사도 하고 정말 너무 즐겁게 여행을 보내고 돌아왔단다. 여기까지는 누구에게나 있음직한 좋은 추억거리이다. 그러나 바로 이 한번의 좋은 추억거리가 이 젊은 의사 가정을 송두리째 뽑아버리는 비극의 씨앗이 된 것이다. 라스베가스 도박도 별거 아니구나 라고 머리 속에 이미 박혀있는지라 다음 주말 일요일에 혼자서 라스베가스를 찾아 나서게 된 것이다. 잃고 따고 잃고 따고 반복이 되는 사이, 일요일에 하루만

하던 것이 주중에도 몰래 자리를 비워 그곳을 찾게 되었다는 것이다.

호텔 측에서 VIP 카드를 주며 공짜 왕복 제트비행기표와 공항에서 내리자마자 리무진이 호텔 방까지 VIP로 모셔가고 최고급 방에서 최고 미녀들 마사지까지 모두 공짜로 해주었을 정도라고 했다. 호텔 측에서 왜 이 비싼 비용을 다 공짜로 해줄까? 답은 간단하다. 그 이상으로 이 손님에게 돈이 나오기 때문이다. 혹 아내를 데려가면 작은 식당은 아예 처음부터 문을 닫게 하고 자기 아내를 위한 그날의 영업을 끝을 내는 일도 있었다고 한다. 물론 의사라는 직업이 수입이 많은 것은 사실이지만 한계가 있는 법, 병원 일에 소홀하게되니 수입이 줄고 라스베가스에 자주 출입하게 되니 돈이 더 필요하게 되고, 결국 메디칼 사기에 머리를 굴리게 되었던 것이다.

그 돈으로 액수는 점점 커지는 도박을 하게 되었다. 호텔에서도 VIP룸이 별도로 있어 방 하나를 전체 혼자만이 딜러와 단 둘이서만 도박을 할 때도 있었다고 한다. 물론 매니저 입회 하에 노름을 하는 것이다. 그만큼 액수가 한 번 배팅 하는데도 최소 몇백 불이고 보통 몇 천 불 단위라고 한다. 한국 제주도 국제관광호텔에서도 억대 도박을 했었다고 한다. 여하튼 밑 빠진 독에 물 붙기로 독을 영영 채울 수가 없는 것이다.

어느덧 아내도 알게 되고 병원도 문을 닫게 되고 메디칼 사기죄로 잡혀오게 된 후 결국 아내와는 이혼, 아니 도망가버리고 그후 자기는 감옥을 들락날락하며 여생을 보낸다는 것이다.

그는 그나마 가지고 있는 좋은 머리를 계속 나쁜 쪽에만 사용하는 것 같다. 그의 앞 뒤 안 맞는 인생철학을 들어보면 이 친구도 이젠 구제불능이 되었음을 알 수 있다. 그의 남은 인생철학은 이렇게 힘든 미국감옥생활을 했는데 이 세상에서 무서울 것이 무엇이 있겠느냐는 것이다. 여기까지 들으면 일리가 있어도 나중에 나온 말은 한인타운의 실상을 빼꼼이 꿰뚫어보는 그에겐 모두가 그의 밥인 것 같았다.

난 그가 부디 마음 잡고 새 사람이 되길 기도한다. 도박이나 마약은 한 인간, 한 가정, 형제 자매가 모두 얽혀 함께 파산이 돼 끝나는 전쟁이다. 후회는 이미 때가 늦은 것이다. 참외밭 근처에 아예 처음부터 가지 않는 것이 모두가 사는 길이다.

나는 이 글을 통해 솔직하게 털어놓으면 평생 살인을 한번도 해보지 않는 사람보다는 나는 또다시 어떤 나쁜 기회가 오면 살인을 할 수도 있다고 볼 수 있다고 생각한다. 그러기 때문에 범죄는 처음부터 저지르지 않는 게 상책이다. 고기도 먹어 본 사람이 잘 먹는다는 말이 무슨 뜻인지 알 수 있을 것 같다. 그러니까 아예 처음부터 노름은 손에 대지 말라고 충고하고 싶다.

이곳에서의 문신 기법은 County Jail과는 차원이 다른 것을 알게 되었다. 이곳에서 문신하는 것을 보면 그런 대로 세련되게 나온다. 문신 무늬가 복사되어 있으며 그것을 보며 자기가 좋아하는 것을 골라 그 무늬를 복사하여 피부에 그려 넣고 기계로 문신을 새기는 것이다. 문신기계는 자동 수제품으로 이곳에서 만든 것이다.

Workman에 있는 소형녹음기 모터를 이용하여 그곳에 작은 파이프를 연결하여 그 속에 침을 넣고 모터가 돌아갈 때마다 파이프를 통해 침이 피부를 콕콕 찌르게 만드는 것이다. 물론 물감도 이곳에서 만든 것이다. 그러니 자동문신기 임에는 틀림없다.

팔뚝에 손바닥 무늬 만한 그림은 30분 정도면 모두 끝이 나는 것이다. 이번에도 나는 많은 유혹을 받았다. 왼쪽 가슴에 작은 호랑이를 새겨 넣고 싶었다. Little Tiger라고 써넣고 싶었다. 단돈 10불이면 해주겠다며 유혹을 한다. 그러나 그 동안의 경험을 봐서 몸에 문신이 있으면 유리할 것이 하나도 없다는 결론을 얻었기에 이번에도 유혹을 뿌리치기로 했다. 만약 내가 몸 어디에라도 문신자국이 있었다면 지금까지 여러 번 찾아온 기적과 같은 행운이 과연 따라왔을까 하며 고개를 저었다.

왜냐하면 체포당시부터 지금까지 여러 번 몸을 검사하는 것을 보아왔기 때문이다. 몸에 문신이 하나라도 있었다면 기록에 평생 따라다니게 되어있고 만약 작은 사고라도 나면 기록을 확인할 때 불량인간으로 불리하게 처리되지 않을까 하는 생각에서이다. 문신자국 하나라도 인생을 망칠 수 있는 것을 명심하길 바란다.

감방보다 더 추운 외로움

이곳에 온 후 처음으로 몸살 감기인지 학질에 걸려 이틀동안 거의 죽다가 살아났다. 오히려 사고 전에는 무분별한 생활로 건강이 나빴지만 교도소에 들어온 후 규칙적인 식사와 생활을 하게 되니 오히려 건강이 더 좋아지게 되었던 것같다. 이렇다할 잔병이 한 번도 걸린 적이 없었다. 또 그 흔한 감기나 설사를 한 번도 한 적이 없었다. 그런데 어느 토요일 아침 자고 일어났는데 갑자기 몸이 춥기 시작했다. 그래도 먹어야 그나마 기운이 생길 것 같아 간신히 몸을 이끌고 아침식사를 1/3쯤 목구멍으로 넘겼다. 돌아오자마자 침대에 누워 옷을 끼워 입고 담요를 두 장씩이나 겹쳐 덮었는데도 추위가 점점 더 오는 것이다.

그때가 8월 달이니 낮 기온은 90도나 되는 대도 춥다못해 턱이 덜덜 떨리기 시작했다. 더 나아가 치아까지 부딪히며 소리가 날 정도로 추위가 온몸을 엄습해 왔다. 방에서는 더 이상 추위를 막을 방법이 없어 밖으로 나갔다. 겨울에나 입는 털 잠바를 껴입고 운동장 옆에 있는 콘크리트 의자에 누웠다. 8월 여름 햇볕에 콘크리트 의자는 90-100도의 열기가 있어 그곳에 누우면 따뜻할 것 같았다. 그런데 햇볕을 받고 누워도 좀처럼 추위가 가시지 않았다. 점심은 도저히 먹을 기력이 없었다. 그런데 몸도 추워 견디기 어려웠지만 더 견디기 어려운 것은 마음이 추운 것이었다.

이곳 한 쪽에 천 여명이 넘게 있어도 누구하나 나에게 관심과 사랑을 베푸는 자도 없지만 나 또한 누구 한 사람에게 이 고통을 하소연할 사람이 없는 것이다. 이 외로움이 나를 더 춥고 외롭게 만들었다. 의자에 쪼그리고 앉아서 주르르 눈물을 흘리는데 가슴이 미여져 내렸다. 아내의 손길이 그리웠다. 부모의 사랑이 그리웠다. 자식의 관심이 그리웠다. 이 넓은 우주 공간에 외톨이라는 처참한 현실이 나를 너무나 뼛속까지 춥게 만들었다.

한참 울다가 긴 한숨을 내 뿜었다. 그래도 가슴속에 묻힌 응어리가 빠져나가는 듯 시원함이 느껴졌다. 그리운 얼굴들을 그리며 몇 번을 뺨을 적시고 긴 한숨을 연속해서 내뿜자 하늘이 노랗게 보였다. 갈증이 났다. 운동장에 있는 간이 수도에 간신히 천근의 몸을 끌고 가서 목을 축였다. 다시 나는 콘크리트 의자로 자리를 잡았다. 태양은 더 강렬하여 온기가 피부를 스며드는 것 같았다. 그나마 방에서 나올 때 가지고 나온 초콜릿이 더 없이 좋은 요기요 힘이 되었다. 초콜릿을 먹은 후 비몽사몽간에 잠깐 잠이 들었다.

저녁 때가 되어 다시 방으로 기어 들어왔다. 나는 샤워실에 있는 약간 더운물을 컵에 받아 들고 와 땅콩이 들어 있는 초콜릿 하나로 저녁끼니를 때웠다. 수소문 끝에 두통에 먹는 아스피린 두 알을 얻어먹고 다시 일찌감치 자리에 누웠다. 이튿날 아침인데 도저히 일어날 수가 없었다. 그러나 나는 나 스스로에게 강요를 한다. '일어나, 일어나야 된다' 나는 죽을 힘을 다해 아침식사 대열에 섰다. 병을 앓더라도 이곳에선 먹으면서 앓아야 된다.

나는 이를 악물고 쓰러질 것 같지만 견디어냈다. 평소에 커피는 안 먹는 편이지만 오늘은 아침에 커피를 한 컵 받았다. 간단한 아침 식사에 따끈한 커피 한 잔을 마시니 조금 정신이 드는 것 같았다. 다시 침대에 누워 있으니 조금씩 기운이 돌아오는 것을 느낄 수 있었다. 점심을 다시 건너 뛰고 저녁식사에 다시 줄을 섰다. 저녁식사를 받아들고 수저를 뜨니 이제 음식 맛이 조금 입에 들어오는 것 같았다. 거의 만 이틀동안 그나마 주말 토, 일요일이라 그런 대로 버티고 넘길 수 있었던 것이다. 이번에도 제일 먼저 절실히 느낀 것은 가족의 소중함이다. 아내가 보고싶다. 그의 따뜻한 손길이 그립다.

학질

삼복더위에

동지섣달 추위,

겹겹이 담요와 코트로

싸늘해져 가는

육신을 덮으나

수천 중에 나! 외톨이라

마음마저 차가워

끈적한 눈물 베개 닢 적시네

아들 병고에

지친 몸 버리고

새우잠 지새던

무지한 어머님

그대의 따스한 손길이

사늘한 육신의 병

마음의 병을 고칠텐데

이제 그대들은 가고 없구려

사랑하는 사람들이여

그대들이 보고 싶구려.

방패막을 심장에 대고 자는 신세

내년 봄쯤에는 남가주 쪽으로 이감이 될 수 있다는 희망과 기대에 이번에 두 번째 맞는 겨울만 잘 지나가도록 매사에 신중하게 행동을 했다. 민사소송사건도 해결되고 한국청년 사기사건도 배반을 당해 마음은 편치 않았지만 그것도 그렇게 해결된 것이 더 고마워 감사하며 하루하루를 보내고 있었다. 겨울이 되어 해가 짧아져 저녁 먹은 후 컴컴해지니 곧바로 각 방문을 닫는 것이다. 인원점검이 7시경이니 5시경에 문이 잠기고 7시경에 인원점검을 하니 무려 2시간 동안 좁은 방에서 떠들고 북적거리는 것이다.

그러자니 젊은 친구들은 왁자지껄하고 아무래도 자주 싸움이 벌어지곤 한다. 나는 간단하게 샤워를 하고 침대에 누워 책을 보고 있는데 한 쪽 구석에서 싸우는 듯해서 오늘도 또 싸움질을 하는구나 생각을 했다. 그런데 계속 그쪽에서 소리가 요란하고 시끄러웠다. 어느 놈이 싸움을 하나 하고 소리나는 쪽을 자세히 쳐다보니 백인 3명이 약한 백인 한 명을 붙잡고 두 명이 바지를 벗겨 엉덩이를 까 뒤로 벌리고 단단히 잡고는 한 놈이 빗자루 자루를 항문에 넣고 쑤셔대는 것이다. 한 놈이 입을 틀어막아 끙끙대며 소리를 질러대고 세 놈이 좋다고 낄낄대며 성폭행을 하고 있는 것이다. 모두들보고 있을 뿐이다. 또한 누구하나 말리는 친구들도 없다. 심심하던 차에 색다른 구경거리가 생겨 가담을 직접하지 않을 망정 동조하는 눈빛으로 말이다.

나는 보기에 너무하다 싶었다. 얼른 구두를 신고 끈을 단단하게 매었다. "Hey man! Stop it!" 그들을 향해 큰소리로 점잖게 타일렀다. 그러나 그들은 다짜고짜 나에게도 욕을 해대는 것이다. 욕을 실컷 먹으니 화가 치밀었다. 침대에서 벌떡 일어났다. 내가 화난 표정을 하고 침대에서 일어나 복도로 나오니 그중 한 놈이 항문을 쑤셔대던 인상 더러운 백인 놈이 빗자루를 가지고 나의 얼굴을 향해 찌르면서 확 달려들었다. 이미 나도 마음의 준비를 하고 있던 차에 어렵지 않게 살짝 피하면서 그의 급소인 무릎을 정통으로 앞발차기 구둣발로 찍어버렸다. 그는 앗, 하면서 무릎을 두 손으로 잡고 거꾸로 뒹굴 뒹굴 구르며 고통스럽게 악을 쓰는 것이다.

그러자 또 한 놈이 주먹을 휘두르며 달려든다. 그것쯤이야 앞발차기로 그의 정강이를 가격했다. 전에도 밝힌바 있지만 군화 앞꿈치로 정확하게 한 방 맞으면 이 세상에서 천하장사가 없는 것이다. 이렇게 순식간에 2명이 복도에 둥그러져 다리를 잡고 우는소리를 내는 것이다. 분명한 것은 그쯤 되면 그들은 일어날 수가 없는 것이다. 마지막 한 놈은 자기 친구들의 광경을 직접 눈으로 목격한 이상 덤벼들지는 못하며 친구들을 부축해주며 자기 자리로 데리고 가는 것이다. 순식간에 일어난 싸움에 그 동안 말로만 들어오던 동양인의 파괴력을 직접 눈으로 확인들을 하고는 별다른 동요 없이 수군거리기만 했다.

모두들 보기에 백인 놈들이 너무했기에 오히려 나에게 동정표가 몰린 것 같다. "You know what? It's stupid."라고 한마디 하고는 침대에 반쯤 기대 누웠다. 인원점검 시간이 되었다. 나는 마음이 편치 못했다.

나한테 당한 놈들 중 아니면 누군가가 오늘 조금 전에 벌어진 싸움을 교도관들에게 보고하지나 않을까 해서다. 교도관이 들어와 하나, 둘 인원점검이 시작되었다. 내가 이곳에서 터득한 것은 싸움을 하더라도 상대방에게 안면이나 또는 피가 나지 않게끔 해야된다는 철칙을 세워 놓았듯이 그들도 며칠 동안 제대로 걸음을 못 걸을망정 얼굴은 멀쩡하기에 교도관들도 전혀 눈치채지 못했다. 또한 그들 2명이 조그마한 동양인에게 한꺼번에 구타를 당했다고 창피해서 스스로 보고하지는 못하리라 생각되었다.

인원점검이 다 끝나고 취침시간이 되었다. 나는 바지와 구두를 신은 채 잠자리에 들 수밖에 없었다. 옛말에 맞은 놈은 발을 뻗고 자도 때린 놈은 움츠리고 잔다는 말이 실감이 나는 것이다. 이튿날 낮에는 보통 학교에서 주로 시간을 보내니 그리 위험하지는 않으나 저녁식사 후 좁은 방에서 그들과 다시 같이 지내야만하니 이거야말로 숨이 막힐 지경이다. 2명씩이나 나에게 당했는데 그들이 이해하고 완전히 서로 화해를 한 것이 아니기 때문이다. 이렇게 소강상태에선 나 혼자 뿐인 이곳에서 언제 어느 때 공격해올지 모르기 때문에 한시도 마음을 놓을 수가 없다. 더군다나 이번엔 주먹이나 몸으로는 쉽게 당할 수가 없으니 분명 흉기로 공격해 올 것 같아 더 초조하고 긴장이 되었다.

나는 우선 임기응변으로 나의 심장을 보호해야 된다는 생각에 방법을 찾기로 했다. 가슴에 책을 끼고 잘까 하는 방법도 좋은 방법이나 굉장히 불편할 것 같았다. T셔츠를 몇 겹으로 접어 가슴에 대고 잘까 했지만 이 방법은 예리한 송곳이나 칼에는 관통이 되니 그야말로 전전긍긍이다. 그래도 불행 중 다행인 것은 한 겨울이라 여러모로 도움이 되었다. 여름이면 팬티에 T셔츠 하나에 시트하나만 덮고 자는데 겨울에는 두툼하게 겹겹이 끼워 입고 자게 되니 책을 가슴에 끼고 자도 될성 싶었다.

싸움이 있은 후부터는 잠자리에서 꼭 바지와 구두를 신고자는 버릇이 생겼다. 그나마 그래야 만이 나를 보호할 수 있기 때문이다. 나는 그들과 화해를 하려고 지나치다 마주치면 인사하며 아는 척 했지만 그들은 화가 난 얼굴로 욕을 내뱉는 것이다. 'Huck you!' 다리만 다 낳으면 다시 공격 아니, 죽이겠다는 뜻이 아닌가. 미칠 지경이었다. 두 달만 지나면 나도 남가주 쪽으로 이감이 될텐데 이곳 말년에 생각지도 않던 일에 휘말려 이지경이 되었다.

점심식사 후 잠시 방에 들어오다 창문을 보게 되었다. 이 건물은 모르긴 몰라도 40-50년은 된 건물 같았다. 각 창문에 벌레와 모기가 못 들어오게끔 screen door가 있는데 이 방 창문에 있는 이 문을 슬쩍 지나치면서 보니 문에 있는 철사 망이 너덜너덜 끝이 삭아 떨어져 붙어 있었다. 물론 요즘 것은 모두 플라스틱 망으로 되어 있지만 50년 전에는 가느다란 철사망으로 되어있었다. 나는 오래 된 이 철사망을 보고 번뜩 아이디어가 생겼다. 우선 그 망을 뜯어냈다. 오래된 건물이라 여기저기 창문마다 다 떨어져 나가 있기 때문에 이것을 떼어 낸다고 해서 문제될 것이 하나도 없음을 알게 된 것이다.

철사망을 뜯어내어 한 번, 두 번, 세 번, 네 번을 겹쳐서 접었다. 그러니 철사망이 여덟 겹이 되는 것이다. 보통 책 만한 크기가 되었다. 이것을 T셔츠에 싸서 가슴속에 대고 나니 한결 움직이기가 편하고 안심이 되었다. 절뚝거리던 그들의 다리는 점점 나아가고 있는데 그나마 방패막이 생겨 그런 대로 든든함에 잠을 잘 수가 있었다. 여덟 겹의 철사망이면 아무리 뾰족한 송곳이라도 한번에 내 심장을 꿰뚫을 수는 없을 것이다. 단 한번에 구멍을 못 내면 나는 잠에서 깨어나 신고 자던 군화로 그들의 심장을 내리 꽂으리. 나도 나대로 악이 생겼다. 즉 한번에 나를 죽이지 못하면 나도 내가 살기 위해 상대방을 죽여야 되기 때문이다.

이렇게 피가 마르는 하루하루를 보내자니 지옥이 따로 없는 것이다. 매일 같이 신경이 그들의 일거수 일투족에 쏠려 있고 잠도 푹 잘 수가 없다. 다행한 것은 그들이 결코 남자다운 행동을 하지 않았었기에 주위 다른 자들이 동조를 하지 않는다는 것이다. 매일같이 침대에 들어와서는 철사망을 집어넣었다가 아침이면 빼내 베개 밑에 넣었다. 이렇게 한 열흘을 하고 나니 이러다간 나도 내 명대로 살 수가 없을 것 같았다.

나는 마지막 방법을 생각해 냈다. 이상한 것은 흑인이나 백인보다는 멕시칸이 동양인과는 그래도 무엇인가 잘 통하는 편이다. 나는 멕시칸 갱스터 보스쯤으로 보이는 그래도 나이가 40대쯤 되는 친구를 찾아갔다. "Amigo(친구)!" 나는 손을 내밀며 그에게 인사를 건넸다. 그 동안 일어났던 사건을 전부 그에게 이야기하고 정식으로 도움을 청했다. 우선, 나는 처음부터 그들과 싸우고자 한 것이 아니고 그들이 약한 놈을 더군다나 세 명이 빗자루로 똥구멍을 쑤셔대는 것을 보고 말렸는데 그들이 먼저 공격해 들어와 방어차원에서 몇 번 가격을 했을 뿐이다. 정히 그들이 원하면 모두 보는 앞에서 일대일로 싸우자. 그러나 나는 그들과 화해하고 싶지 더 이상 지난 일로 싸우고 싶지 않으니 네가 먼저 너의 많은 친구들에게 나의 사정을 이야기하고 그들이 보는 앞에서 싸워 끝을 깨끗하게 내든지 아니면 완전하게 화해를 시켜달라고 하였다.

그는 내 이야기를 다 듣고 나서 알았다며 잠시 후에 다시 만나자며 자리를 떴다. 잠시 후 십 여명이 두 그룹으로 나누어 내 주위에 약간 떨어져 모여들었다. 이곳에선 한꺼번에 몰려 있으면 Tower에서 경고 마이크 소리가 나온다. 몰려 있지 말라고. 그리고 그 친구는 우리 방으로 들어가 백인 친구 하나를 데리고 나오는 것이다. 내 앞에서 나의 의견을 그에게 전달하며 어떤 방법을 원하느냐고 물어보았다. 그는 분위기를 봐서 심상치가 않음을 눈치 챌 수밖에 없는 상황인 걸 안 것 같았다. 싸우겠느냐, 화해를 하겠느냐 물었다. 그는 별로 망설임도 없이 분위기를 파악하고 나에게 손을 내미는 것이었다. 나는 썩어도 준치라고 위엄을 갖추면서 그들이 보증이 되어 손을 내밀고 화해를 했다. 결국 한 명씩 세 명을 불러 화해를 하였다. 남자 대 남자로서.

백인친구를 보낸 후 나는 그와 악수를 나누며 고맙다고 인사를 했다. 정말 10년 감수였다. 그 동안 매일 같이 바짝바짝 피가 말라버린 2주간이었다. 자다가 송곳이나 예리한 칼이 심장가운데 찍혀 피를 토해내며 순식간에 헐떡이다가 죽어 가는 나의 몰골을 생각하면 지금도 소름이 끼친다. 그래서 그때 충격을 지금도 가끔 허우적거리며 꿈을 꾸곤 한다.

5

남가주 교도소로 이감

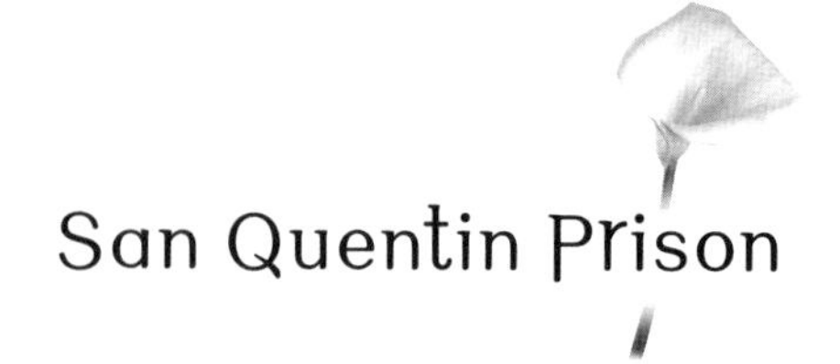

San Quentin Prison

레벨 two에서 모범수들이 있는 레벨 one을 거쳐 벌써 2년의 세월이 흘렀다. 내 자신이 가족을 생각해서라도 최선을 다해 교도소생활을 하느라고 했는데 타의든 본의든 범죄에 말려드는 것을 알게 되었다. 그러기 때문에 젊은 사람들은 한번 이곳에 들어와 영원히 이곳에서 생을 마감하는 경우가 허다하다. 가끔 신문에 나듯이 이곳도 아주 위험한 교도소 중에 하나이자 일년에 몇 명씩 죽어나가게 되는 것이다. 누가 죽느냐? 그것은 열이면 아홉은 흑인이다. 힘으로는 흑인을 당할 자가 별로 없는 것이 사실이다. 또한 주먹을 잘 쓰기 때문에 일대일로 싸우면 멕시칸들이 얻어터지게 되어 있는 것이다.

그러나 그쯤 되면 살인모의가 시작되는 것이다. 3-4명이 그룹이 되어 상대방 흑인 한 명은 단 한번에 급소(주로 심장)를 찔리고 칼에 베면 그 친구는 허덕거리며 발악을 하게 되고 그 동안 아수라장이 되는 것이다. 몇 분 사이 피를 많이 흘려 그는 쓰러지게 되고 그때 옆에 있던 흑인 동료들이 합세하게 되면 계획적으로 살인을 하러 들어간 멕시칸들과 패싸움이 벌어지게 되는 것이다. 결국 교도관들이 알게 되고 그러면 비상벨과 총이 발사되며 모두 엎드려 있어야 되는 것이다.

앞으로 캘리포니아에서는 멕시칸들이 모든 형무소를 장악하게 될 것이라 해도 과언이 아니다. 숫자와 조직력, 자금, 단결력이 있기 때문이다. 아이러니컬하게도 생각해보면 앞으로는 백인 심지어 흑인들도 범죄행위가 줄어들지 않을까 추측이 된다. 날로 교도소 생활이 위험하고 힘이 들기 때문이다.

우락부락한 성격에 결국 크게 당하는 것은 흑인이기 때문이다. 그들도 숫자적이나 악독함에는 멕시칸들을 당해낼 수가 없는 것이다. 조언인지 악담인지는 몰라도 앞으로 교도소엔 백인, 흑인, 동양인이 하나도 없고 멕시칸만이 있기를 바라는 마음이다. 그들끼리는 패싸움이 별로 없을 테니 말이다.

나는 이번에도 카운슬러를 만나 남가주 쪽으로 이송되기를 바란다고 신청서를 제출하였다. 조만간 무슨 통지가 오겠지… 남가주 최북동쪽 높은 산악지대에 있는 사막에서 나도 벗어날 수 있는 기회가 오고 있는 것이다. 사실, 나는 이곳에 2년 동안 있으면서 단 한번의 면회기회밖에 가질 수 없었다. 그것도 아내의 희생정신이 아니고서는 Orange County에서 이곳까지 면회 오는 사람은 일년에 손가락으로 꼽힐 정도이다. 정말 너무 멀고 험해서 또 다시 아내가 온다고 해도 극구 말릴 수밖에 없는 곳이다. 한번 오려면 오는 사람, 만나는 사람 모두 기쁨보다는 걱정이 더 앞서기 때문이다. 나만의 욕심으로 아내가 이곳 산간지역을 운전하고 오다가 혹시 사고라도 나면 그때는 모든 게 끝장이 나기 때문에 나는 편지 때마다 아예 꿈도 꾸지 말라고 당부하곤 했다. 아내는 한 번쯤 더 오고 싶어했지만 나는 극구 말렸었다.

그런데 이제 그 모든 어려운 고비를 넘기고 이제 내일이면 이곳을 떠나는 날이다. 나는 오늘 간단한 짐을 상자에 넣어 사무실로 가지고 갔다. 내일 떠나는 버스에 미리 실어 놓기 위해서이다. 이튿날 아침 내 이름이 호명이 되어 그 동안 이곳에서 가깝게 지내던 옆 동료들과 악수와 포옹을 나누며 석별의 정을 나누었다. 나는 특히 지난번 싸움 때 화해를 이끌어 준 멕시칸 원로 갱스터를 찾아가 다시 한 번 고마움을 표시하고 이별의 아쉬움을 나누었다. 또한 내가 가지고 있던 라면(최고의 선물)등 먹을 것을 몽땅 주었다.

그 동안 몇 번의 경험이 있기에 족쇄와 수갑을 차고 버스에 앉아 교도소 건물을 휭 둘러보며 야릇한 감정에 빠져본다. 육중한 철문이 열리고 끝없는 사막을 향해 버스가 빠져들고 있었다. 다시는 이곳에 오는 일이 없을 거라 다짐해본다. 오늘 우리가 이감되는 것은 아무도 모른다. 그러기에 우리가 어디로 가고 있는지는 각 개인의 짐작에 맡기는 것이다.

예를 들자면 나는 남쪽으로 신청을 했으니 운이 좋으면 남가주 아니면 중가주 쪽으로 갈 것이라 짐작만 할뿐이다. 사막을 지나 또 다시 울창한 숲을 지나 개울가를 따라 계속 내려오는 것 같다. 주택들이 보이고 시가지가 보이면서 시내 쪽으로 계속 들어가고 있는 것이다. 30분쯤 지나 감시소가 군데군데 있으며 육중한 철책과 철조망이 겹겹이 걸쳐 있는 정문 앞으로 버스가 다다른다. 입구에 보니 San Quentin State Prison이라고 간판이 붙어 있는 것을 보고는 이곳이 유명한 사형수들이 수감되어 있다는 무서운 형무소라는 것을 알게 됐다. 그런데 나는 놀랄 수밖에 없었다. 분명 나는 남가주로 가기로 신청을 했는데 왜 이곳에 왔느냐는 것이다. 이곳은 이름만 들어도 소름이 끼치는 곳인데….

사형수들이 미국에서 언도를 받고도 인도적인 차원에서 몇 년 사이 금방 사형이 집행되는 것이 아니라 보통 20여 년을 특수교도소에 수감된 후에 형이 집행이 된다고 한다. 비록 사형수라도 후에 진짜 범인이 나타나 억울한 죽음이 없도록 하기 위해 20년이라는 장기간 수감을 한 후 사형을 시킨다는 것이다.

도착하니 몇 명씩 따로 호명을 하여 그룹별로 데리고 갔다. 6명이 한 조가 되었다. 커다란 콘크리트 건물 앞에 다다라서 우리를 철문 앞에 세워놓고 철문에 있는 비밀 암호번호를 누르는 거였다. 그러자 콘크리트 벽에 있는 철문이 열렸고 우리는 안으로 들어갔다. 널찍한 복도에 우리를 인계하고 교도관은 다시 철문으로 나갔다.

건물 이층 높이의 벽에 있는 감시소 벽 유리 속에서 우리를 보며 마이크로 지시가 내렸다. A2 방으로 들어가라며 위에서 자동으로 문을 열어주었다. 6명은 모두 각 방으로 분산수용 되었다. 나중에 알고 보니 San Quentin에도 사형수 특별감방 즉 내가 오늘 수감되어 있는 이런 건물이 있는가하면 옆쪽에 일반 죄수 감방도 있다는 것이다. 나는 그제야 좀 안도의 숨을 쉴 수가 있었다.

방에 들어가니 얼굴 색이 하얗고 자그마한 젊은 베트남인이 먼저 들어와 있었다. 어디를 가나 한국인 아니면 베트남인이 먼저 들어와 있었다. 나는 새삼 놀랍고 창피함을 느꼈다. 어둠 침침한 콘크리트 방에 벽에 붙박이로 붙어 있는 철침대 두개가 이층으로 되어있고 세면대와 변기 한 개씩이 보였다. 밑층 침대구석에 반쯤 누워 있는 그의 창백한 몰골을 보니 그가 마귀같이 보여 등골이 오싹함을 느꼈다. 나는 손을 내밀며 인사를 하며 먼저 아는 척을 했다. 우리는 침침한 방에서 통성명을 했다. 그의 이름은 '누엔' 이라고 했다. 앞으로 이 친구와 단 둘이 얼마 동안은 이 방에서 같이 지내야 한다.

이틀 동안 그와 같이 있으면서 그의 자랑만을 잔뜩 들어주었다. 사람을 그 동안 몇 명을 죽였다는 둥 교도관들이 이곳에선 매사 위험하기 때문에 방탄복을 항상 입고 다닌다는 둥 여러 가지 이야기를 해주었다. 나는 들어주기만 했다. 자랑할 것이 없기 때문에.

순금

45년 동안 길고도 험한
잉태의 고통을 겪고 태어난
한 새로운 생명

순금이 되듯이
사랑과 용서의 삶에
다시는 녹이 쓸 수 없으니
종(綜)에는 정금 같이 되기를
인고의 도정을 거쳐

이곳은 한 마디로 거의 모든 것이 자동시스템으로 되어 있다. 죄수와 교도관의 접촉을 최대한 없도록 하기 위함인 것 같았다. 사형수들은 어차피 죽을 인생이기에 조금이라도 마음에 들지 않으면 극한 행동을 하기 때문이다. 직사각형의 콘크리트 철벽 건물에 한쪽 벽으로 각 방이 있으며 거의 똑같은 구조로 이층으로 되어 있다. 층마다 1개의 샤워실이 가운데 있으며 보통 일주일에 1-2번 정도의 샤워를 한다. 또 맞은 편 벽 이층 높이에 24시간 상주하는 교도관이 있으며 그곳에서 모든 것을 자동으로 조절하는 것이다. 하루 한 두끼의 식사시간에 문을 자동으로 열면, 보통 봉다리 식사를 배급해준다. 죄수들은 일단 자기 방 앞에 나와 서서 기다린다.

물론 먼저 벨이 울리거나 신호가 나온다. 교도관이 인원을 점검하고 난 후 지시에 따라 일렬 종대로 바로 옆에 있는 식당으로 가서 음식창구에 준비되어 있는 음식을 적당히 퍼담아 바로 옆의 식탁의자에 앉아 각자 먹은 후 쟁반과 플라스틱 수저를 양손에 들어 교도관이 보이게 끔 한 후 다시 식당 배식창구 통으로 집어넣는 것이다. 그러나 이렇게 따끈한 음식을 하루 세끼마다 다 주는 것은 아니다. 이곳은 봉다리 음식을 자주 주는 곳이다. 미리 음식을 만들어 놓아 배식해 놓으면 순서에 따라 각자 자기 쟁반에 담는 것이다. 이층 감시소에서 교도관이 다시 지시를 내려 각 방 앞에 세운 다음 인원을 점검 한 후 각자 방으로 들어가게 끔 한 후 문을 자동으로 닫는 것이다. 즉 음식 배식자가 없는 뷔페식당 같은 원리이다.

일주일에 한번 의복과 시트가 배급된다. 또한 샤워도 일주일에 한번 교도관이 각 방 번호를 호명하여 문을 열어주고 나오게 되면 샤워실로 가서 샤워를 하게 된다. 이렇게 각 방마다 한 명씩 들어가고 나오고 모두 시키는 것이다. 이틀만에 월남친구가 어디론가 이감되었다. 나는 위층에서 아래층으로 내려갔다. 이제 어둠 침침한 독방이 된 것이다. 침대에 반쯤 누워 이 생각 저 생각, 이것저것 둘러보았다. 내 침대 바로 옆 콘크리트에 두툴두툴 무엇이 붙어있는 것을 보게 되었다. 예감이 이상해 자세히 들여다보니 이게 웬일인가. 벽에 붙어있는 것은 오래 전부터 누군가 누워서 벽에 가래침을 뱉은 것이다.

가래침이 마르고 또 뱉고 이렇게 반복되어 한쪽 벽이 반 정도가 우툴두툴 해진 것이다. 나는 놀라지 않을 수 없었다. 이런 짐승만도 못한 인간 쓰레기들. 자기 잠자리 옆에 가래침을 뱉다니. 하기야 정상인이라면 이곳에 들어올 일도 없지만 조금 꼼지락거리기가 싫어서 누운 채로 벽에다 가래침을 뱉고 옆에서 매일같이 잔다는 것이 동물이 아닌, 인간으로서 할 짓이란 말인가. 정말 동물만도 못한 인간. 고양이나 개들도 자기 배설물은 흙으로 감추고 덮거늘 사람이 차마 이렇게까지 막 살수가 있을까. 나는 시간 나는 대로 T셔츠 하나를 걸레로 만들어 닦고 훔치고 또 닦고 훔치고 이것이 일과가 되었다.

아무 것도 없는 이곳에 이렇게라도 하니 시간도 빨리 가고 좋은 점도 있었다. 구석구석 물걸레로 닦아 나가니 내 마음이 씻겨지듯 마음까지도 맑아지는 것 같아 좋았다. 생각해보니 이곳은 교도관

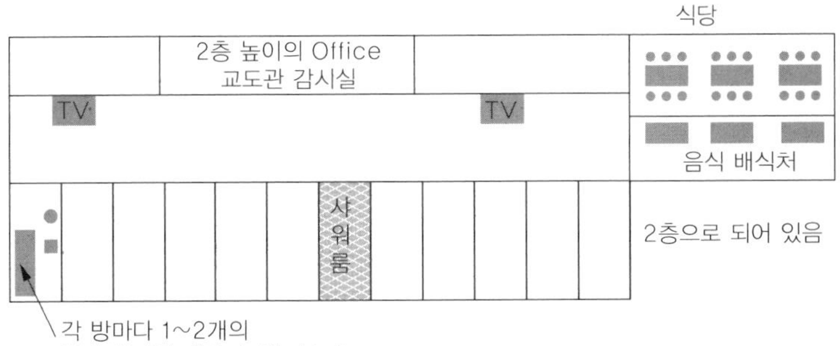

이 방 청소 점검을 하지 않기 때문에 죄수들 스스로 하고 싶으면 하고 싫으면 먼지 덩어리가 굴러다녀도 하지 않았던 것이다.

이렇게 특수감방에서 지낸 지 한달, 또다시 족쇄와 수갑을 채우는 것을 보니 다른 곳으로 이송되는 듯 싶다. 그러니까 나는 이곳 특수감방에서 그 동안 대기자로 임시 지내고 있었던 것이다. 덕분에 더 불편한 생활을 하게 되었지만 그로 인해 사형수들만이 기거하는 특수감방에서 또 다른 경험을 하게 된 것이다.

우리나라도 사형제도는 그대로 유지하되 사형언도를 받은 후 미국처럼 장기간 20년 이상 수감시킨 후 사형이 집행되면 혹시라도 아무리 흉악범이라도 행여 억울한 일이 있다면 가려질 찬스가 주어지면 좋겠다는 생각이 들었다. 미국에서는 거의 많은 사형수들이 감방에서도 계속 항소운동을 하는 것을 보았는데 결론은 죽이지만 말라는 것이다. 참으로 인간은 비겁하고 야비하며 이기적이다. 귀중한 남의 목숨은 파리 목숨처럼 죽이고 자기는 살아 있는 한 살아가게끔 해달라는 것이니…. 나의 경험으로 봐도 특수감방에서 생활해봤지만 또 그곳에 적응이 되니까 그런 대로 살만한 것이 되는 것이다.

살만한 대로 자기 명대로 살게끔 하는 것과 언젠가는 죄의 대가로 죽어야 된다는 것과는 분명 하늘과 땅 차이가 있는 것이다. 물론 통계적으로 사형을 시켰다고 범죄가 줄어들지는 않았어도 엄청난 살인을 하면 꼭 죽는다는 사고방식과 백 명을 죽여도 힘들지만 내 명대로 살 수 있다는 선입견은 분명 다를 거라는 생각이 든다.

나를 포함해 30여명을 태운 대형버스는 다시 남쪽으로 내려오다 또다시 어느 교도소에서 하루를 잔 후 이튿날 아침에 50여명으로 늘어난 죄수들을 태운 버스는 다시 남쪽으로 향해 어딘가에 도착되었다. 간단히 말하면 이곳은 학교건물 식으로 되어 있다. 한쪽엔 운동장이 있으며 여기 저기 단층건물이 위치해 있는데 한 건물에 150-200명 정도까지 수용할 수 있는 커다란 단독건물들이 세워져 있는 것이다. 특이한 것은 각각 건물마다 교도관이 취침시간 후 아침까지만 상주하며 감시하는 사무실이 있는 것이다. 거의 자율적으로 생활하는 것이 다른 곳과 다른 것이다. 즉 레벨이 얕을수록 한 건물 안에 수감자 인원수가 늘어난다는 것이다.

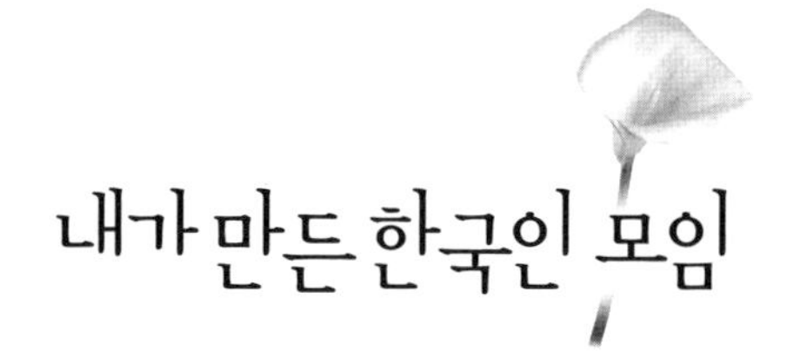

내가 만든 한국인 모임

이곳에 와서 처음으로 내가 한 일은 한국청년들이 여러 명 있는 것을 알게 되었고 그중 내가 가장 연장자이기에 모임을 주선하였다. 이곳 매점에서 구입할 수 있는 통조림에 라면 등을 준비하여 모임을 가진 것이다. 그 중에서 그래도 나이가 들고 붙임성이 있는 길동이가 있었는데 내가 보기엔 그는 의리도 있고 인간성도 괜찮은 것 같은데 한번 길을 잘못 들어 십여 년간이나 감옥을 들락날락 하는 친구였다.

그의 말에 의하면 갱스터 세계는 생각보다 잔인하고 무섭다고 한다. 즉 생을 포기하다시피 해야한다는 것이다. 때로는 보는 앞에서 아무 죄도 관계도 없는 사람을 죽이며 살인시범을 보여야 되고, 길에 멍하니 서 있는 사람을 그냥 이유도 없이 칼로 찔러 죽여야 된다는 것이다. 심지어 경찰을 죽여야 그런 대로 높은 대우를 받는 경우도 있고 또 마약중독자들에게 마약을 줄 테니 저 사람을 죽이고 오라 하면 무슨 방법을 쓰든지 사람을 죽이고 마약을 가지러 온다는 것이다. 또 살인하는 방법도 가지각색이라는 것, 그 중에서도 알코올에 태워 죽이는 방법이 제일 잔인하다고 한다. 온 몸에 불이 붙었지만 불빛도 별로 없이 고통스러워하며 죽는 모습은 처참하기 이를 데 없다고 한다.

길동이의 파란만장한 범죄생활을 들어보면 믿어지지가 않는다. 그런데 문제는 그가 아직도 그 죄악의 그늘에서 벗어나질 못하고 깊게 빠져 있는 것이다. 아마도 그것이 그의 운명일까? 또 한 젊은 친구는 도끼로 상대방 가슴을 찍고 들어왔다는데 그래도 이 젊은 친구는 지금까지 내가 본 한국청년 가운데 제일 똑똑하고 앞으로의 설계도 뚜렷이 세워 열심히 기술을 배우고 있는 친구이다. 물론 자기는 형이 끝나면 한국으로 추방이 될 것이라며 있는 동안 영어와 가정용품 제품을 고치는 기술을 열심히 터득할 거라는 무서운 친구였다.

나는 맏형이라도 된 듯 가끔 라면파티를 열어 잃었던 웃음을 찾고 대화를 나누도록 그들에게 친절을 베풀곤 하였다. 이곳 교도소는 주로 출소말기에 있는 수감자들로 각종 기술을 가르쳐 주며 출소 후 사회에 잘 적응하여 살도록 하는 교도소이다. 때론 길동이가 잔디에서 한 바구니 버섯을 따와 라면과 함께 끓여 즐거운 파티를 열기도 했다. 재주꾼인 길동이는 어디서 텅스텐을 구해 훌륭한 곤로를 만들어 심지어 찌개까지 끓여 먹기도 했다. 지금 생각해도 아까운 젊은 친구이다.

나는 일년 여 동안 이곳에서 모범수로 사고경력 한번 없이 지냈다. 그 결과 이곳에서 제일 안전하고 쾌적한 분위기에서 수감생활을 할 수 있는 기숙사와 같은 특별 2인용 수용방으로 이감 될 수 있었다. 레벨 one 건물 중에 단 한 건물이 기숙사 모양으로 복도를 중심으로 양쪽으로 방이 40개 정도가 있었다. 각 방마다 문이 있고 문 위에 작은 붙박이 유리창문이 달려 있고 또 각 방마다 key가 있어 자기만이 들어가고 나오고 할 수 있는 곳이 이곳이다. 그리고 이곳은 인원점검 때도 침대에 누워 있으며 작은 창문으로 한 방에 두 명이 있나만 확인하면 되고 나머지는 거의 자유시간이다.

물론 샤워실과 화장실 TV방은 별도로 되어있다. 교도소에서 이 정도 자유로운 각 방을 쓸 수 있는 곳은 많지가 않다. 모범수로서 이곳도 순서를 신청하여 차례가 와야 들어올 수 있는데 나는 이제 여기까지 왔으니 석방 날짜까지 무사히 잘될 것이라 믿어본다.

아버지의 부고장

앞으로 일 년간 잘 견디면 꿈에도 그립던 자유의 몸이 되는 것이다. 열심히 먹고 자고 기술도 배우고 책도 읽고 글도 쓰고 시도 쓰면서 최대한 바쁜 생활 속에 잡념을 버리고 지내다 보니 세월도 빠르게 흘렀다. 밖에서 살 때는 일하는 것이 힘들고 싫어서 '이런 빌어먹을 노동 치러 내가 미국에 왔나' 하며 화가 치밀어 집에 와서 애꿎은 아내에게 화풀이를 하고 짜증을 부렸었는데 지난 세월들이 얼마나 후회스럽고 아까운지.

어서 자유의 몸이 되어 일하고 싶고 땀흘리고 싶은 마음 굴뚝같다. 힘들게 일하고, 푹 쉬고, 사랑하는 아내를 위해 그가 좋아하는 꽃을 고르고, 사랑하는 자식들을 위해 내 남은 생을 태우리라. 전에는 소중한 줄 모르던 그 평범한 행복을 꿈꾸며 나는 날마다 쏜살같이 시간이 지나기를 기도했다. 조금씩 내가 변화되고 있었다. 아니, 그 무수한 아픔과 고통의 세월이 나를 변화시키고 있었다. 그동안 일하고 싶을 때 일할 수 있다는 것이 얼마나 큰 축복인가를 나는 전연 모르고 살아온 것 같다.

생각하면 나는 내 아내와 자식들에게서 그 소박한 꿈을 빼앗아 버렸던 것이었다. 후회와 죄책감으로 나는 나 자신을 수도 없이 자책했다. 내 자신이 미워 견딜 수가 없다. 미국에선 열심히 일을 하면 일한 만큼 소득이 있게 마련이고 그 소득을 보람있게 사용할 수 있다. 이 평범한 진리를 이제야 깨닫다니….

내가 사고를 내고 이곳으로 온 후 아내는 한국에 계신 부모님께 Jim 아빠가 큰 사고를 내어 당분간 교도소에 수감이 되었다고 전해드렸다는 것이다. 아들인 나를 기다리시는 듯해서 말씀을 안 드릴 수가 없었다는 것이다. 그간 미국여행도 시켜드렸고 일년에 몇 번으로 나누어 용돈도 보내드렸는데 이제는 그럴 수 없기에 할 수 없이 아내는 연락을 했던 것 같다.

그 동안 아버님은 미국에서 보내주는 용돈으로 동네 노인정에 나가 자랑도 하며 남에게 꿀릴 데 없이 노후생활을 하셨는데 어느 날 청천 벽력같은 아들의 사고소식에 용돈까지 중단 되었으니 두 노인네들이 얼마나 큰 충격을 받았으리라 짐작이 간다. 싸움질 하다가 그렇게 되었다고 했지만 시간이 지날수록 심각하게 돌아가는 상황을 눈치채시고는 두 분이 하루가 다르게 늙어 가셨다는 것이다.

불효자, 말썽꾸러기 자식이지만 그래도 장남인 나를 무척이나 의지했던 부모님이셨다. 아버님은 스스로 오래 살지 못할 것을 알고는 둘째에게 내가 죽기 전에 꼭 한번 미국에 있는 아범을 만나야 내가 눈을 감을 것 같으니 형한테 연락을 하면 아범이 꼭 나올 거라며 매일같이 동생에게 애원하셨다는 것이다. 동생 역시 이대로는 아버님이 오래 사시지 못할 것을 알고는 아버지에게 다음 달쯤에 형이 이곳에 온다는 연락이 왔다고 거짓말을 해서라도 아버님을 진정시켜 드릴 수밖에 없었다는 것이다.

"그래? 다음달?"

아버지는 귀가 번뜩 뜨이시는지 그 소리를 듣고 용기를 갖고 정신을 차려 약간의 회복세를 보이셨다는 것이다. 그러나 2주, 3주가 지나도 연락이 없자, 눈치를 채시고 더 이상 부탁도 애원도 하지 않으시더라는 것이다. 포기! 그렇다. 아버지는 살아생전 아들을 만날 수 없다는 것을 이미 아셨다. 이보다 더 큰 불효가 어디 또 있으랴. 나는 부모님의 명을 단축시킨 불효자다. 곁에서 모시고 살지는 못할망정 나 때문에 병까지 얻으시고, 편찮으셔도 가 뵙지 못하는 사고뭉치 아들, 나는 정말 죽어 마땅한 불효 막심한 놈이다.

그러던 어느 날 아버님은 사경을 헤매시며 "아범아! 아범아!" 장남을 애타게 찾으셨다는 것, "아버지, 형이 왔어요. 형이!" 식어져 가는 아버님의 손을 꼭 잡아드리며 장남인척 "아버지-" 하며 통곡을 한 건 차남인 나의 동생이었다. 아버지는 큰아들이라 착각하시고 차남의 따뜻한 손길의 체온을 느끼시며 안면에 미소를 지으시며 마지막 숨을 거두셨다 한다.

'아버지! 이 불효 막심한 놈을 용서하지 마세요. 장례식조차 참석 못한 이 불효를 어떻게 용서를 받을 수 있겠습니까? 아버지! 정말로 저를 용서하지 마세요.' 나는 목놓아 울면서 이렇게 부르짖었다.

학창시절부터 무던히도 부모님의 속을 썩이더니 천만분지의 일도 그 은혜를 헤아리지 못했는데 이제 돌아가시다니… 나는 하늘이 노랗게 보이고 땅이 밑으로 가라앉는 것처럼 앞이 캄캄했다.

그 옛날 의정부 중학교에서는 단 두 명이 경희고등학교에 합격이 되었는데 '내 아들이 합격됐다' 고 그리도 좋아하시던 아버님의 얼굴이 지금도 눈에 선한데 이젠 그 아버님을 뵐 수가 없는 것이다. 가슴이 터질 듯 아프다. 얼마만큼의 세월이 흘러야 이 슬픔에서 헤어날 수 있을지.

생각해보면 나는 참으로 부모님께 가시처럼 아픈 존재였다. 기차 통학을 하며 사립학교에 다니니까 등록금도 비싸지만 구두부터 책가방, 옷, 모자 등 모두 특별히 맞춰야 되는 시절이기에 돈이 꽤나 들었다. 그런데 그렇게 돈을 쳐들여 공부를 시켜주시는 부모님을 속이고 나는 노는데 온 정신을 팔았다.

기차가 창동쯤에서 커브 길을 돌 때면 속도가 느려지는 것을 이용, 앞에서 뛰어 내려 뒤칸에 다시 매달려 탈 수 있는 실력을 가지고 있었던 나는 아침 새벽차를 타고 학교에 가면서 커브 길에서 뛰어내려 하루종일 놀다가 저녁기차가 오면 뛰어가 매달려 다시 타고 집에 오는 것을 반복했다. 그러니까 학교는 일주일에 보통 2-3일은 빠지며 공부는 하는 둥 마는 둥 8개월을 다녔다. 드디어 학교에서 퇴학통지서가 집으로 배달이 된 것이다. 학교에 다녀온 척하고 집에 들어가니 안방에서 아버님이 나를 부르셨다. 나는 시치미를

뚝 떼고 들어갔다.

퇴학통지서를 내 앞에 내밀며 "이놈아! 힘들게 학교를 보내주니 이 꼴이냐? 오늘 너하고 나하고 여기서 같이 죽자" 하시며 부엌칼을 내 앞에 내놓고 아버지는 소리를 치셨다.

"이놈아! 이걸로 나를 죽여라. 그리고 너도 혀 깨물고 죽어라." 피눈물을 흘리시며 결국 나를 껴안고 흐느껴 우시던 아버지였다. 부모의 마음이란 이런 것인가. 뺨이라도 갈겨 내쫓을 텐데 부엌칼을 옆에 놓고 나를 껴안고 나의 머리를 쓰다듬으며 흐느끼시던 아버님! 정말 어이없는 자식이다. 이제와서 눈시울을 적신들 무엇하나. 정말로 나는 불효자중에 불효자다.

'아버지! 아버지!' 어린애처럼 아버지를 부르는 나는 어느 듯 새까만 교복을 입은 어린 시절로 돌아가 있었다. 시름에 빠져 울적해 있는데 이른 아침부터 갑자기 불어닥친 사이렌 소리로 정신이 들었다. 탈출사건으로 비상사태가 벌어진 것이다. 물론 아직 아침 식사시간이 시작되기 전이라 각각 건물 안에 모두 있었지만 알고 보니 어젯밤 철조망 근방 건물에 있던 한 친구가 탈출을 했다는 것이다. 이 소식을 접하고는 모두들 한 마디씩 한다.

"멍청이!"

그도 그럴 것이 이곳 교도소는 제일 레벨이 낮은 수준의 교도소이며 따라서 기껏해야 1년만 참으면 될 뿐만 아니라 거의 단기수들이고 수감생활도 자유로운 편인데 여기서 탈출을 한다는 건 정말 멍청이들이나 할 짓인 것이다.

그런데 그만큼 철조망이나 감시망도 허술하니 그걸 이용하여 담요 2장을 철조망 위에 던져 길을 내고 탈출했다는 것이다. 잡히면 가중처벌에 위험인물로 낙인 찍혀 최고 위험한 곳으로 이감이 되어 장기간 수감생활을 해야 될텐데 그의 앞날은 이제부터 험난한 길만 남았다.

이렇게 편하고 좋은 곳이라도 탈출도 있고 싸움도 없는 것이 아니다. 그의 몸에 새겨진 문신으로 보아 '아리안 브라더' 소속인 듯한 백인이 있는데 그들은 자기 백인들이 우월하다는 우월감을 가지고 있는 타민족을 멸시하는 그런 종류의 백인들이다. 공작작업실(취미실)에서 별 것도 아닌 것을 가지고도 나에게 의도적으로 멸시하는 태도와 언행을 하곤 하던 사람이다. 몇 번 참고 넘어갔더니 날로 더 나를 얕보고 마구 대하는 것이었다.

하루는 조각품을 만드는 작은 나무 조각 하나 때문에 언쟁이 시작되었는데 첫 번부터 험한 욕을 하며 오히려 펄펄 뛰는 것이다. 공작실이라 꾹 참고 나는 그에게 가서 뚜렷하게 경고성 도전장을 내밀었다. "너와 단 둘이 싸우고 싶은데 우리 건물 지하실(공작실)이 있는 것을 알지? 그곳으로 와라. 지금 내가 먼저 가서 기다리겠다" 하며 나는 만들던 물품을 챙겨 먼저 나와 내방에 갔다 두고 지하실에서 그를 기다렸다.

육척장사이며 인상이 더러운 백인이라 땅콩 만한 동양 놈의 도전장에 코방귀를 뀌며 그는 지하실로 내려온 것이다. 나는 '이 놈도 무릎이나 다리를 못 쓰게 만들어 버려?' 마음의 준비를 단단히 하며 태권도 동작을 쓰며 기합을 넣는 동시에 앞발차기로 그와 나 사이의 중간에 있던 의자 등받이를 옆으로 꽂았다. 그 순간 쇠에 붙어있던 등받이가 '퍽' 하며 떨어져나가 좁은 지하실 벽으로 부딪혀 그의 앞에 튕겨져 떨어졌다. 단 일초 사이였다.

등받이가 떨어져 나가 부딪힐 정도면 그 발로 자기를 가격하면 죽고도 남을 것이라는 판단이 섰던지 그가 겁을 먹고 서 있는 게 보였다. 나는 이 때를 놓치지 않고 "Come on, baby." 나에게 덤벼들라고 손짓을 하며 소리를 질렀다. 그는 더 이상 버티다간 발길에 채일 것을 알았는지 미안하다며 손을 저으며 사과를 하는 것이다. 나 또한 이런 행동을 계획하고 있었기에 이쯤에서 그의 사과를 받아들이기로 하고 못 이기는 척 그의 악수를 받아들였다.

"If you respect me, I'll respect you. If you don't respect me, I'll kick your ass."

엘살바도인과 싸움

이 방에 처음 들어 왔을 때 자그마한 필리핀인이 있었다. 보통 필리핀인들은 영어를 제1 외국어로 쓰고 있기 때문에 그들은 영어에 능통한 편이다. 이 친구도 영어와 타이프 실력이 좋아 사무실에서 사무원으로 교도관을 도우며 편하게 교도소생활을 하고 있었다. 그는 이 방에서 만도 벌써 일년 이상 지내왔으며 한 두 달 이내 석방이 된다고 한다.

내가 처음에 이 방에 오자 주위에 있던 많은 친구들이 나에게 농담 반 진담 반으로 말을 했다. "You know what? Your room-mate is homosexual." 놀랍게도 그가 동성애자라는 것이다. 그 소리를 듣고 나니 좀 기분이 야릇했다. 한 방에서 단 둘이 지내는데 하기야 성관계를 하려고 마음만 먹으면 얼마든지 할 수 있기 때문이다. 이 놈이 똥고를 들이대며 꽂아달라고 하면 어떻게 하나? 은근히 기대와 걱정이 앞섰다. 만약 그러면 항문섹스는 안되고 구강 섹스나 한번 해보라고 할까? 참, 인간은 이렇게 유혹에 약한 존재임에 내 자신도 다시 한번 놀라지 않을 수 없었다.

우리는 몇 주 동안 같이 지내면서 사무적인 말만 하니까 더 이상 친해질 수가 없었다. '멀쩡한 놈이 할 일이 그리도 없어 남자 xx나 빨고 다녀?' 그렇게 그를 보니 밥맛이 다 떨어지는 것이다. 두 달쯤 후 그가 이 방에서 석방되었다. 나는 이층 침대에서 이제 아래층으로 내려 왔다.

지금 생각해보니 단 둘이 있는 private room은 좋은 점도 있지만 만약 룸메이트가 나쁜 놈이 걸리면 이거야말로 난처한 상황이 벌어지게 되는 것이다. 하루 이틀도 아니고 빼도 박도 못하고 죽을 지경이 되는 것이다. 나는 이곳에 새로 오는 친구가 순진하고 착하고 조용한 친구가 와주기를 기대해본다. 필리핀 친구가 떠난 후 그 날 저녁으로 땡땡하고 심술 굳고 무식하게 생긴 엘살바도인이 들어왔다. 나는 그를 보는 순간 기대 이상의 형편없는 놈이 들어왔구나 실망이 이만저만이 아니었다. 그래서 그에게 인사를 나누는 둥 마는 둥 퉁명스럽게 악수를 하고는 그에게 말을 걸지 않았다. 대화할 상대가 못되는 것이라고 생각했기 때문이다.

그러나 인간은 영특한 존재가 아니던가. 그도 어느 덧 나의 행동에 눈치를 채고 그 역시 모든 일에 시큰둥 하는 것이다. 우리는 의식적으로 할말 만 하고 지내다보니 이 역시 여간 고통이 아니었다. '재수가 없을래니까 막판에 이런 거지같은 놈이 들어와서 속을 썩이네.' 원망을 해본다. 아예 나이가 어리면 귀엽게나 봐주고 대화가 통하지만 이 놈은 퉁명스럽게 생긴데다 나이도 40대라니… 아무래도 나의 잠재 의식 속에 그들을 깔보는 경향이 있었기 때문에 그들이 먼저 사근사근 말을 걸어오기 전에는 자존심 때문인지 도저히 먼저 다가가는 것이 용납되지 않는 것이다.

하루는 저녁을 먹은 후 운동장을 걸은 후 방에 들어와 보니 그의 이층 침대에 빨래를 주렁주렁 잔뜩 널어놓은 것이다. 생각이 있는 사람이면 빨래를 널 때 보통 밑에 침대를 쓰는 사람에게 방해가 되지 않도록 침대 헤드 보드 쪽으로 몇 개 조심해서 말리는 것이 상대방에 대한 예의일텐데 오늘 이 놈은 고의적으로 자기 침대 옆쪽에도 죽 널어놓은 것이다. 물론 자기 침대에 자기 빨래를 널어놓았으니 할 말은 없지만 밑 침대에 있는 나는 침대에 앉을 수도 없고 눕고자하면 빨래를 들추고 들어가 누워야 되는 것이다.

젖은 남의 빨래를 몸이나 손에 닿으면 얼마나 기분이 나쁜가. 그러고 보니 이 놈이 나에게 의도적으로 도전을 해온 것이다. 이런 상황에서 물러서자니 앞으로 오만하고 방자한 이 놈의 행동에 골치가 썩을 것이고 제재를 가하자니 싸움을 하자는 것인데 참으로 난감한 일이었다. 여하튼 나는 얼마 남지 않은 석방 날짜를 위해서라도 좋게 해결하도록 우선 마음을 다졌다.

그가 문을 열고 시치미를 떼고 들어서자 나는 그에게 빨래를 가리키며 이렇게 널어놓으면 내가 나의 침대에 앉을 수가 없으니 치워달라고 좋게 타일렀다. 생각했던 대로 그는 치울 수가 없다는 것이다. 내 침대에 내 빨래를 널었는데 무슨 문제냐는 것, 네가 앉을 수 없는 것은 자기가 상관할 바가 아니라는 것이다. 순간 나는 참았던 울화가 치밀었다. 나도 모르는 사이 어느새 번개같이 내 주특기가 나왔다. 그 동안 맹연습만 계속했지 별로 써먹지 않았던 나의 비밀무기의 하나인 목줄 따기, 나의 엄지 검지가 어느새 그의 목줄을 치켜 따며 동시에 앞발로 그의 조인트를 찍어버렸다. 벽 코너로 그를 밀쳐 넣고 목을 따니 다리는 일격에 힘이 빠지고 목은 조이고 몸이 축 늘어지기 시작하는 것이 보였다. 1분 정도 조였을까 그는 벽에 반쯤 기대어 축 늘어져 내려 앉았다. 벌써 반쯤 기절한 것이다.

나는 축 늘어진 그를 앞으로 약간 끌어내며 내 무릎을 그의 등 가운데 대고 내 양손은 그의 어깨를 잡고 뒤로 길게 꺾었다. 다시 어깨를 앞으로 뒤로 반복해서 인공호흡을 시켜 놓았다. 그래도 유도를 6년 이상 한 나로선 이 정도 인공호흡을 시키는 것은 기본 실력이다. 꺾기, 조르기로 상대방이 잠시 실신한 때가 여러 번 있었을 때 유도 선생님이 인공호흡 시키는 것을 자주 보았기 때문이다. 그는 정신이 가물가물한지 기절에서 깨어나 얼굴 색이 하얗게 변하여 멍하니 앉아 있었다. 이판 사판 일은 벌어진 것, 손가락 끝으로 그의 눈가에 대고 "다음번엔 아예 죽여버릴테야. 알겠어!" 쌍소리 욕과 함께 경고를 주고는 그냥 벽 구석에 처박아 두었다.

한참만에 정신이 나는지 문을 열고 그가 나갔다. 조금 있으면 저녁 인원점검 시간인데 은근히 걱정이 되었다. 이 놈이 다른 패거리를 데리고 오거나 아니면 무기를 가지고 오지나 않을까 노심초사 구두를 신은 채 반쯤 누워 문 쪽으로 모든 시선을 향하고 있었다. 이곳은 좁은 방이니 들어오더라도 한 번에 한 명씩밖에 들어 올 수가 없으니 먼저 들어오는 놈부터 무릎을 부숴 버리면 되겠지. 나는 나대로 마음을 단단히 먹고 이를 갈고 있었다.

인원점검 벨이 울렸다. 철컥 문이 열리더니 그가 들어섰다. 아래위로 훑어보니 별다른 조짐이 없어 나는 그에게 위엄 있게 타일렀다. 좁은 이 방에서 둘이 살면서 서로 돕고 살아야지 또다시 멋대로 하면 "I'm going to kill you, ok?"라고 했다. 그는 나를 빼꼼히 쳐다보기만 했다. 그의 눈빛은 분명 겁에 질린 눈빛이었다. 나는 그의 손을 일부러 찾아 악수를 하며 화해를 했다. 그날 밤은 무사히 지났다. 이튿날 아침에 보니 그의 목줄에 빨건 무늬가 새겨져 있는게 보였다. 아침을 먹고 각자 직장에서 일을 하고 저녁시간이 되어 나는 그와의 뒤끝을 깨끗이 하기 위해 이번에도 멕시칸 중에서 중간 보스 격쯤 보이는 전부터 알고 지내던 친구를 찾아갔다.

"Hey. man, can you do me a favor?" 사실 어제 저녁 내 방에서 이런 일이 있었는데 그가 왜 그랬는지, 혹시 나와 일대일로 한번 싸우고자 하는지, 그렇다면 오늘 정식으로 일대일로 너희들이 보는 앞에서 격투를 해야 하는지를 물었다. 말이 끝나자 그는 벌써 다 알아듣고 엘살바도인을 불러놓고 자초지종을 이야기 한 후 일대일로 싸우겠냐고 물어보는 것이다. 그런데 엘살바도인은 딴청을 하며 자기는 나하고 싸울 이유도 없고 싸우고 싶지도 않다는 것이다. 나는 그럼 정식으로 화해를 하자며 그에게 먼저 손을 내밀었다. 그는 반갑다는 듯이 나의 손을 잡았다. 나는 그를 끌어안으며 어깨를 약간 두드려주었다. 이렇게 안전한 곳에서도 싸움에 말려드는 곳이 교도소라는 것을 다시 한번 알게 되었다.

사랑하는 아내여! 어서 오라!!

이곳에 온 후 기대와 희망을 걸고 또다시 가족면회를 정식으로 신청하게 되었다. Susanville에서는 15시간 이상을 아내가 직접 운전을 하고 와야하기 때문에 2년 동안 그곳에 있으면서 한 번만 기회가 있었지만 Tehachapi에서는 3시간 정도면 면회를 올 수 있기 때문에 신청을 했던 것이다.

아이들은 학교 때문에 주말에 일반면회 때 만나기로 하고 Family visit때는 아내 혼자만 오기로 했다. 오랫동안 그립고 보고싶던 아내와의 만남을 나는 학수고대하며 기다렸다. 더군다나 이곳은 한결 부드러운 분위기에서 만날 수 있으니 매일같이 밤잠을 못 이룰 정도로 그 날이 기다려졌다. 어쩌면 교도소에서의 마지막 면회가 될지도 모르는 아내와의 만남! 나는 새삼스럽게 연애라도 하는 것처럼 나이에 걸맞지 않게 아내를 생각하면 가슴이 뛰었다.

세상에서 뚝 떨어져 나와 높다란 콘크리트 철창만큼이나 매섭고 험한 분리된 삶을 살면서 어쩌면 사람이기를 포기해야하는 처절한 지경까지 갔지만 아내의 지혜와 사랑은 나를 다시 한번 사람으로 탄생시키고 말았다. 요즘은 꿈속에서 아내가 나타나곤 했다. 이번에 만나면 멋있게 안아도 주고, 미안하다고, 잘못했다고, 사랑한다고 고백을 하리라.

드디어 면회 날이다. 아침을 먹은 후 가벼운 마음으로 교도관에게 보고를 하고 10시경에 나는 아내가 기다리는 방문 앞에 섰다. 노크를 하는 손이 떨려왔다. 아내는 기다렸다는 듯이 환한 미소로 나를 반겼다. 이곳 분위기는 너무나 부드럽다. 나는 들어서자마자 아내를 번쩍 안았다. 으스러지게 안고 방안을 한바퀴 돌았다.

얼마나 보고싶었던 얼굴인가. 얼마나 기다리고 기다렸던 사람인가. 우린 사랑을 나누고 음식을 나누고 밀린 얘기를 나누면서 날을 밝혔다. 아내는 아직도 아름다웠다. "You are so beautiful. I love you."

우린 이 세상에서 제일 아름답고 행복한 순간이라 명명했다. 지나온 그 어떤 날들보다도, 아니 신혼 때보다도, 아니 이 세상 어느 부부도 우리만큼 행복할 수는 없을 거라고 생각했다. 그리고 죽음이 우리를 갈라놓는 그 순간까지 마음 변치 말고 영원히 그렇게 살자고 우린 다짐했다.

그도 그럴 것이 다시는 살아서 만날 수 없다고 생각했던 우리 부부가 아니었던가. 이젠 끝이라고 아이들을 부탁하며 죽음을 생각하고 떠났던 우리 부부가 아니었던가. 그런데 이제 출소할 날을 얼마 앞두고 곧 자유의 몸으로 하늘 높이 날을 판이고 세상 때 안 묻고 착하고 아름다운 내 아내가 지금 내 품에 있지 않은가!

그리고 건강하고 착하게 잘 자라준 두 아들들! 그 든든한 울타리가 집에서 나를 기다리지 않는가. 나는 지금도 생각한다. 이 세상에서 나 같은 행운아는 없다고. 우리 부부의 만남을 끝으로 Family visit 제도는 예산삭감으로 인해 그 다음 달부터 폐쇄되었다고 한다.

은빛 구름

서편 구름 밑은 검을지라도
구름 한 쪽 끝엔 은빛이 반짝이듯
오늘 잿빛 구름 속에 맴돌지라도
내일의 희망 밝은 곳이 있기에
갖은 유혹 뿌리치며 짧은 생을 다져가네

검은 구름 뒤엔 폭풍이 도사린 듯
거센 비바람 광풍이 지난 후에
허술했던 초가지붕과 땅을 다지며
반석 위에 새 집을 세워 견고하리니
오늘의 천둥 비바람이 단비이기를!

훈장

출소를 기다리며 마지막으로 나는 이곳에서 목공기술을 배우기로 했다. 석방된 후에도 집이 있으니 수리할 것도 생기고 기본연장 다루는 법도 익혀두고자 실속 있는 기술을 배우기로 했던 것이다. 목공기술반에서는 간단한 가구창문이나 문을 만들고 다는 방법 등 여러 가지 연장이나 전기기계를 다루는 법을 배우는 것이다. 석방 날짜를 6개월 정도 남겨놓고 이곳으로 온 것이다.

나는 그런 대로 손재주도 있는 편이라 일단 나무 다루는 법을 배워 간단한 시계, 괘종시계나 서양장기판 등을 수시로 만들어 라면과 바꾸어 라면파티를 자주 하곤 했다. 공작취미실에서 하루는 각자 목공기술 출품대회를 연다는 것이다. 나는 그 동안 익혀두었던 기술을 십분 발휘하기로 했다. 어떤 식으로 할까 생각 끝에 아내에게 줄 보석함을 만들기로 했다. 좋은 재료의 나무를 구해 20cm ×15cm 크기로 뚜껑을 달아 보석함을 정성 들여 만들어 일주일 후에 출품하였다. 열흘이 지나 심사위원의 평이 나왔다. 그런데 내 작품이 특등을 했다는 것이다.

멕시칸들은 커다랗고 유치한 범선들을 출품했고, 인디언들은 가죽제품을, 백인들은 혁대장식을 출품했는데 동양인의 세련되고 섬세한 목공기술이 이곳에서 특등을 하게 된 것이다. 그런데 깊이 생각해보니 비단 나의 목공기술과 동양인의 섬세함이 빼어난 게 아니라 내 아내를 생각하고 만든 그 소중함이 심사위원들의 심금을 울려 상을 받게 된 것이 아닌가하는 생각이 들었다. 볼품없고 부족하지만 나는 빨리 이 선물을 아내에게 바치고 싶었다. 그리고 점잖게 한 마디 하고 싶었다.

"당신 고생 많았소."

특등이니 은근히 상품에 기대가 되었다. '상장과 함께 트로피도 하나 주겠지.' 그런데 그날 저녁 교도관이 가지고 온 상품은 조그마한 훈장 메달 하나가 전부였다. 그러나 이미 나는 아내가 내려줄 거대한 상품을 알고 있었다.

"당신, 수고 많았어요. 보물함 고마워요. 여기에 당신의 마음도 담아주셨지요?"

보석함

몸과 마음을 함께 빚어

보석을 함에 담는다

수 주 걸려 만든 작은 보석함

모습이 갖춰진다

사랑하는 이에게 주고파

기쁨 속에 손때를 묻힌다

자르고 갈고 닦고 광내도

지칠 줄 모른다

45년의 희비가 섞인

짧지도 길지도 않은 그대의 삶

이제, 희비에서

비(悲)자를 빼어버리고

그리고

그대의 보석함에

즐거움과 기쁨의 보석을

가득가득 넘치도록 담아 주리니

6

아! 석방이다!

영주권자의 석방과정

석방날짜가 가까워오니 몇 번 카운슬러의 호출이 있었다. 인적사항, 체류신분, 재산관계, 가족관계 등을 자세히 물어봤다. 며칠 후 드디어 꿈에도 그리던 석방날짜가 내게 통보되었다. 다음 주 화요일이다. 그 동안 이곳에서 석방되었던 경험이 있는 친구들에게 석방과정에 대해 관심 있게 물어봤다.

방사무실 정문에서 석방되는 그날 아침에 현찰 80불 정도를 받게 되며 만약 당장 입고 나갈 사복이 없다면 그곳에 구제품으로 모아둔 옷을 골라 입고 나간다는 것이다. 그래서 나는 미리 아내에게 사복을 입고 나가려고 며칠 전에 소포로 옷을 받아 두었다.

그리고 정문에서 주는 80불 정도의 현찰과 현재 내 구좌에 있는 200여 불의 잔금이면 버스와 택시를 타고 집까지 갈 수 있으니 아내에게 정확한 날짜를 알리지 말고 집에 갑자기 나타나 "짜잔!" 하고 문을 열고 들어가 식구들을 놀라게 할까 별의별 궁리를 다하며 흥분된 날을 보냈다.

그런데 막상 그날이 오니 한시라도 빨리 아내를 만나고 싶은 마음이 생겨 교도소 정문 앞에 10시까지 와서 기다리라고 했다. 사실, 벼슬하고 가는 것도 아니고 식구들 고생만 시키고 가는 건데 참으로 철이 없다는 생각에 웃음이 픽 나왔다. 그런데 집에서 가만히 기다리고 있을 아내가 아니라는 걸 나는 너무나 잘 안다. 그녀의 왕은 언제나 나, 남편이니까!

나는 아내에게 예쁜 핑크색 원피스에 노란색의 긴 스카프를 목에 두르고 오라고 했다. 그리고 석방되는 날, 정문 앞에 기다리고 있을 아내를 향해 뛰어가 번쩍 들어 안아 한 바퀴 빙 돌은 후 멋지게 키스를 해 주리라 계획까지 세웠다. 5년을 천년만년으로 기다린 우리가 아닌가.

나는 그 동안 보았던 책들을 정리해서 상자에 넣고 사무실로 갔다. 죄수복을 반납하고 사복으로 갈아입었다. 백 여명 중에 벌써 절반 이상이 호명이 되어 나갔다. 다음에는 내 이름이 호명되겠지 하며 초조하게 기다렸다. 시간을 짐작해보니 어느 덧 점심 때가 다 되었을 것 같았다.

아내는 벌써부터 정문에서 핑크색 원피스를 입고 기다릴텐데… 왜 이리 수속이 복잡할까…

나는 조바심이 났다. 이젠 거의 다 나가고 겨우 20여 명 만이 남았다. 그런데 오후가 지나 이민국 직원이 오더니 모두 나오라며 2대의 Van에 분산 탑승시키는 것이었다. 아니, 이 자식들이 오늘 석방 날짜가 분명한데 석방을 안 시키고 또 어디를 가는 거야? 나는 불만이 꽉 차 있었다. 마음은 흥분되고 얼굴은 화끈거렸다.

불과 얼마 전까지만 해도 죽은 목숨이었는데 인간이 이렇게 치사한 동물이다. 나는 아직 내 몸, 내 신분이 그들 손아귀에 잡혀있기 때문에 타들어 가는 조급한 마음을 누르고 진정시킬 수밖에 없었다. Van은 Tehachapi을 벗어났고, 시골길을 거쳐 두어 시간 만에 시가지에 도착하였다. 우리 모두를 대기소로 들여보내면서 봉다리 점심 하나씩을 나누어준다. 그때는 몰랐으나 나중에 알고 보니 베이커스휠드 같았다. 널찍한 대기소에 들어가니 20여 명이 벌써 기다리고 있었다.

이곳에서도 그냥 기약 없이 기다릴 수밖에 없다. 해가 넘어가려 기우뚱거린다. 외등 불이 하나 둘 들어온다. 저녁 한끼를 더 얻어먹은 후 그 중에서 30여 명을 호명하더니 이번에는 대형버스에 태운다. 그래도 전과는 판이하게 다른 것은 족쇄나 수갑을 채우지 않은 것이다. 그만해도 날아갈 것만 같다. 다시 대형버스는 출발한다. 고속도로를 타는 듯 했다. 이젠 남쪽, 우리 집 쪽으로 가는 것 같았다. 오늘 저녁에는 석방이 되겠지, 늦어도 서너 시간 후엔 석방이 되겠지, 나는 지루하고 초조함을 억지로 삼켜 넘기며 고속도로를 신나게 달렸다.

그런데 '어! 이거 봐라. 이상하다.' 나는 나의 눈을 의심했다. 분명 조금 전 도로 옆 간간이 세워놓은 사인판에는 North라고 써 있는 것이었다. 분명 눈에 들어오는 것은 지금 북쪽으로 가고 있는 것이다. 점점 초조하고 불안하기 시작했다. 이놈들이 우리를 어느 계곡으로 이 밤중에 데리고 가서 묻어버리려고 하는 것은 아닌가?

별의별 불안한 생각이 다 든다. 버스는 나의 불안한 가슴을 관심 밖의 일인 듯 계속 북으로 북으로 달리고 있다. 새벽녘이 다 된 것 같은데 또다시 어느 건물 대기소에 도착하더니 우리를 내려놓는다. 다시 봉다리 아침 하나씩을 배급받았다. 그러니까 북쪽 새크라멘토 가까운 곳에서 몇 명을 보내고 다시 인원을 채워 오십 여명을 새벽녘 동틀 무렵에 버스에 태우는 것이다.

또 다시 새벽녘 어둠을 뚫고 버스가 철조망 건물을 나선다. 이제 북쪽으로 가면 어디로 가는 것일까? 네바다? 오레곤? 나는 망상 속에 빠져 차창 밖 사인판을 유심히 찾아보았다. 멀리 파란 사인판이 보인다. 캄캄한 밤에 이리저리 끌려 다니다 버스를 탔기 때문에 방향 감각을 알 수가 없었다.

South! 야! 남쪽이다! 사인판이 내 눈에서 완전히 사라질 때까지 나는 분명 남쪽임을 확인할 수가 있었다. 그렇다면 이제 분명 LA쪽으로 가고 있는 것이다. 벌써 해가 중천에 뜨고 지고 오후가 되어 해가 벌써 갸우뚱한다. 버스 안에 꽉 찬 무표정한 초라한 몰골들, 동양인은 나 하나이고 전부 멕시칸이다. 그중 멕시칸 한 명이 너무나도 지루해서인지 스페인어로 이민국 직원에게 무엇인가 억양을 높여 불평을 털어놓는 것 같았다. 이민국 직원은 그 소리를 다 듣더니 버스 뒤편으로 가서는 그를 일으켜 세워 손을 뒤편으로 하게끔 하여 뒤로 양손에 수갑을 채우는 것이다. 그리고 스페인어로 몇 마디 하더니 앞으로 온 후 맨 앞쪽 자리에 다시 앉는다.

우리는 아직 자유의 몸이 아닌 것이다. 소리를 쳐도 안되고, 궁금해도 벙어리가 되어야한다. 버스는 계속 어디론가 남쪽으로 달린다. 또다시 3-4시간을 달려온 듯 하다. 얼마 전에 수갑을 뒤로 찬 멕시칸이 신음소리를 내며 이민국 직원에게 통사정을 하는 듯하다. 몇 번 듣고도 못 들은 채 하더니 죽는 소리를 하니 마지못해 수갑을 풀어주는 게 보인다. 그는 수갑 찼던 양 손목을 만지며 비벼댄다. 수갑을 앞으로 채워도 힘든데 뒤로 채우면 단 몇 분만 지나도 피가 잘 통하지 않으면서 앉은 자세도 불편하기 때문에 고통이 이루 말할 수 없는 것이다. 불평 몇 마디하고는 죽도록 몇 시간 고문 아닌 고문을 당하게 된 것이다.

해가 땅에 묻히고 캄캄할 때 우리는 LA 다운타운에 도착하게 되었다. 어느 고층빌딩 주차장을 통해 건물 대기소에 또 다시 갇히게 되었다. 콘크리트 바닥 콘크리트 의자에 걸터앉았다. 허기와 추위와 그리고 긴 버스여행에 지쳐 녹초가 되었다. 그러나 천근 몸을 누울 만한 장소가 없다. 바닥이고 의자고 모두 콘크리트이기 때문이다.

나는 운동화 한 쪽을 벗어 옆으로 누워 머리에 베개로 베고 누워 잠을 청해 보았다. 빌어먹을 놈들! 욕이 절로 나온다. 새벽이 다 된 듯 다시 방을 옮겨 주는데 이번에도 방 사이즈는 비슷한데 단 한 가지 전화기가 있는 것이다. 나는 방에 들어서자 전화기부터 집었다. 다이얼을 돌렸다. 따르릉 소리와 함께 “Hello” 아내의 목소리가 들렸다. 깊은 잠에서 깨어난 듯 다 죽은 목소리다. “여보, 나야” 내 목소리를 듣더니 아내는 번뜩 정신이 드는 모양이다.

"어디에요? 어제 Tehachapi에서 반나절 넘게 기다렸는데 어떻게 된 거예요?" 나는 아내에게 자초지종을 이야기하고 확실한 것은 아직 모르나 오늘 아침에는 석방될 것 같은데 이곳은 LA 다운타운에 어느 빌딩이라고 하며 다시 전화하겠다고 말했다. 그때가 새벽 4시경쯤이다.

8시가 되어 Sheriff가 출근하는지 그때부터 사람들이 여기저기 움직이는 것이 보였다. 나는 아내에게 다시 전화를 걸어 여하튼 오늘은 분명히 나가게 될 것이니 아침을 먹고 LA 다운타운에 있는 이민국이나 County Jail로 나오라고 말했다. 그리고 9시경이 되니 그제서 다시 하나씩 호명을 하며 하나씩 확인한 후 데리고 나가는 것이다.

드디어 나의 이름이 호명되었다. Sheriff는 이름을 확인하고 나의 구좌에 있던 이백여 불을 주고 상자에 있는 이름을 확인한 후 돈도 한푼 안주고 따라 오라더니 어느 복도 한 구석에 있는 철문을 열고 나가라는 것이다. 나와 또 한 명의 멕시칸이 이렇게 다운타운 한복판 빌딩 뒷문으로 쫓겨나다시피 석방이 된 것이다. 그 친구와 나는 구석진 뒷골목에서 큰길로 나왔다. 그와 같이 큰길로 나와보니 어디가 어딘지 전혀 모르는 낯선 길만 보였다. 그러나 분명한 것은 그렇게도 그리웠던 거리 LA 다운타운이었다.

같이 나온 멕시칸이 앞으로 가다가 다시 나에게 다가왔다. 버스 탈 돈이 없으니 1불만 달라는 것이다. 나는 지갑에서 1불을 꺼내 그에게 건네주고 작별인사를 나눴다. 그가 떠난 후 나는 큰길을 따라 빌딩 앞 현관 쪽으로 짐을 들고 나와 서 있었다. 혹시 아내의 얼굴을 보기 위해서였다. 기다리는데는 아주 이골이 난 상태니 짐 상자 위에 걸터앉아 이리저리 처량하게 지나가는 사람들 얼굴을 쳐다보며 무작정 아내를 기다렸다. 그땐 휴대폰 시대가 아니었기에 무작정 기다리는 수밖에. 그러나 푸른 하늘도 달라 보이고, 밝은 태양도 이제 달라 보이고, 맑은 공기도 달라진 것 같고, 거리도 동네도 모두 나를 반기는 것 같았다. 늘 보고, 만지고, 가까이 있던 이것들이 오늘은 모두 소중하고 귀하고 멋있고 찬란하게 보였다.

이렇게 영주권자는 석방과정에서도 커다란 차별을 받는다. 만 48시간을 이리저리 끌려 다니고 석방된 것이다. 열 한 시가 다 되어 아내의 얼굴을 찾을 수가 있었다.

아! 그리운 사람! 아내는 LA 다운타운 복잡한 빌딩을 물어 물어 찾아 나섰다고 했다. 아내와 함께 낯익은 두 분이 계셨다. 유목사님 내외분이셨다. 이 세상은 악한 사람보다는 선하고 착한 사람들이 더 많기 때문에 그래도 마음먹기에 따라 살맛 나게 살아갈 수도 있는 것이라는 생각이 들었다.

두 분과 반갑게 포옹을 하고 그분들의 차에 올랐다. LA를 벗어나 우리는 한국식당에 들려 불고기에 시원한 동치미 국수를 배불리 먹었다. 그때의 그 시원한 동치미 국수의 맛을 나는 지금도 잊을 수가 없다. Santa Ana에 있는 프로 바이레션 사무실에 들려 석방된 것을 신고하고는 집으로 향했다. 집 근처에 오니 길옆에 핑크래디 꽃들이 만발하여 나를 반기고 있었다. 꽃들은 나에게 속삭였다.

"우리가 너를 얼마나 속타게 기다렸는지 알아? 다시는 우리와 이별해서는 안되지."

"그래! 다시 너희와 떨어지지 않을게." 나도 그들에게 이렇게 속삭였다.

꿈에도 그리던 나의 집! 얼마나 그리웠던 내 집인가. 내가 살아 돌아와 이 집 뜰을 다시 이렇게 밟고 서 있다니! 나는 문 앞에 서서 우리 집을 의미 깊게 둘러 쳐다봤다. 위로, 아래로, 옆으로.

감격스러웠다. 이게 내 집이다. 내 사랑하는 가족들이 기다리는 나의 집이다. 내 손때가 묻고 내 호흡이 베어있는 곳, 내 기리 쉴 곳, 내 집이다. 그 어떤 말로 이 감격과 감사를 형언할 수 있으랴. 그저 감개무량할 뿐이었다.

안에서 인기척을 들었는지 커다란 장정 두 명이 걸어나오며 두 손을 벌려 나의 좁은 가슴에 안겼다. "I missed you dad!", "I missed you too." 유목사님 내외분과 우리 네 식구는 정말 오랜만에 저녁식탁에 모여 앉았다. 유목사님이 기도를 해주셨다. "하나님 아버지 감사합니다. 하나님 아버지 앞으로 이 가정을 아버지께서 꼭 지켜주십시오."

Pink Lady 꽃 필때

집뜰 양지에

핑크 래디 피었단다

아내와 아들에게 전한다.

이 뜰에 핑크빛이

한번 더 물들면

온 집 안팎이

핑크빛 가득할 거라고.

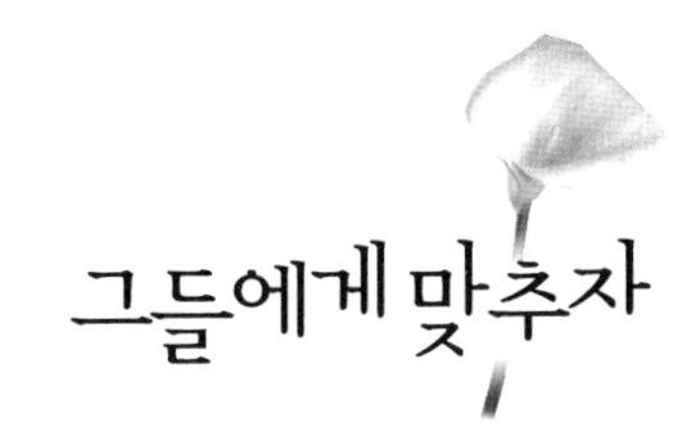

그들에게 맞추자

5년만에 꿈에도 그립던 집에 돌아와 한달 정도는 몸을 추스르고 집안정리와 여장정리로 소일했다. 마음은 날아갈 듯 하고 아내의 정성이 담긴 한국음식이 나를 다시 제 자리에 서게 만들었다. 정신도 들고 다시 일을 해야할 마음도 생기고 마음이 정리되어 갔다. 아빠가 없는 동안에도 아이들은 똑바로 잘 자라 의젓한 청년으로 성장했고 신앙이 좋아 남을 배려하며 돕는 착한 일꾼들로 성장해 있었다.

사업은 그 동안 많이 약해져 먹고 살 수나 있을지 정신이 번쩍 났다. 그러나 그 동안 아내는 자식들을 키우면서 그나마라도 사업을 유지해왔고 아이들을 지극 정성으로 키워 건강한 등치며 의젓한 남아로서 생각도 건전하니 얼마나 감사한지 가슴이 뭉클했다.

그런데 또 감사한 것은 오랫동안 방탕하고 절제되지 못한 생활로 정신과 육체가 망가질 때로 망가졌던 내가 감옥이라는 한정된 공간에서 위험한 생활이긴 하지만 수년간 충분한 식사와 규칙적인 생활을 한 덕으로 2-3년밖에 못산다는 의사의 말과는 달리 육체적으로 아주 건강하게 되어 출소할 수 있었으니 모든 게 감사할 뿐이다.

몸이 건강하고 그리운 가족의 품으로 돌아오니 또한 정신도 건강해졌다. 그래서인지 일을 하고자 하는 욕망이 생기니 그 동안 육체적인 노동을 하는 것에 너무나 불만이 많았는데 일하는 것이 지금은 너무나 즐거워졌다. 그뿐인가. 전에는 오늘 하루는 어떻게 보내나 하던 마음이 이제는 일 자체가 즐겁다. 그리고 노는 날이면 취미로 낚시를 즐기게 되었는데 그 또한 감사한 일이다. 낚시는 태평양으로 나가 하루종일 또는 배에서 며칠씩 잠을 자며 장거리 투나 낚시인데 취미생활을 하니 사는 게 보람되고 또 다른 세계를 만난 듯 새롭다.

옛날 취미생활은 고스톱, 술, 담배, 건전치 못한 모임, 카바레에서 술과 노래를 즐기는 것 등이었는데, 한가지 변화라고 한다면 출소 후부터는 사람을 만나는 것이 두려워졌다는 것이다. 소수의 교회 분들 이외에는 사람을 새로 사귀는 것이 싫고 두려워 사람 만나는 것을 피하게 된다.

골프도 배워봤지만 사람과 어울려야 되는 것이기 때문에 싫었다. 낚시는 누구와 미리 약속할 필요도 없고 상대방의 눈치나 성격을 맞출 필요도 없고 지금의 나에게는 가장 맞는 취미생활인 것 같았다. 아무 예약 없이 가고 싶으면 갈 수 있고, 가기 싫으면 취소할 수도 있고, 넓고 끝없는 태평양을 향해 마음껏 움츠렸던 마음을 펼 수도 있기 때문에 좋다. 앞으로도 모든 것이 순조롭게 잘 풀려 나갈 것 같아 감사한 마음이다.

그런데 자식들이 크니까 그들의 진로문제로 아이들과 의견이 맞지 않아 솔직히 마음의 혼동이 생겨 괴로울 때가 많다. 가장 큰 문제는 큰아들이 대학을 졸업하고 티벳에 단기선교사로 나가겠다고 하는 데서부터 문제는 야기되었다. 아비된 내 입장에서는 탐탁지 않지만 본인이 원하고 아내가 원하는 것이니 보냈기로 했었다. 그런데 1년동안 중국과 티벳에 다녀오더니 이번에는 신학대학을 다니겠다는 것이다. 신학대학을 졸업하고 전도사나 목사가 되겠다는 건 아니고 선교사로 오지에 나가 일을 하겠다는 것이다.

그러나 나는 아직 믿음이 약하지만 비단 신앙문제만이 아니라 가난한 1세 이민자로서는 우선 장기적으로 생활대책이 중요하다는 거였다. 그래서 선교는 다음으로 미루고 우선 아비인 내가 마침 미국에 부동산 붐도 있었고 landscaping부터 remodeling, painting, 핸디맨 등 집에 대해 거의 많은 것을 경험하고 산지식이 있으니 아이들이 이런 면에서 사업을 하면 좋을 것 같았다. 그래서 부동산면허를 따도록 며칠 몇 달을 큰 아이를 설득했다. 아니, 반은 협박하여 부동산 면허를 따게끔 했다. 사실 나의 간절한 설득, 공갈, 협박, 구애 끝에 큰아들은 마지못해 공부를 시작한 것이다. 만약 지금 무작정 선교사로 나가면 지금까지 키워준 부모를 배반하는 꼴이 된다고 못박아 말해 두었다.

나의 고정 정원사 손님이 괜찮게 있으니 그 손님들 중에 일년에 십 여명씩 집을 사고 팔고 나가니 그 손님들만 잘 잡으면 년간 수입이 충분히 되며 또한 헌집을 사서 고쳐서 제값을 팔고 하면 큰 재산을 모을 수 있으니 내가 생각하기에는 아주 든든한 직업으로 생각되었기 때문이다. 그리고 아내에게도 아들을 도와 일하도록 부족한 공부를 하라고 강요를 했다. 그때부터 나의 욕심은 끝이 없었다.

나의 목표는 내가 정년 퇴직할 때는 일을 안 해도 매달 렌트비 수입이 2만불 이상이 되어야한다는 목표를 정했다. 그런데 큰 아이는 시험을 한달 남겨놓고 카자흐스탄과 아프카니스탄으로 목사님과 같이 2주간 단기선교를 떠난다는 것이다. 아무리 자식이지만 아들이 너무나 강경하게 가기를 원하니 말릴 수가 없었다. 그런 아들을 나는 믿을 수밖에 없었고 잘 다녀오라고 하고 보냈다.

나는 5년 동안 허송세월 한 것, 날아간 것 등을 하루빨리 원상복귀 찾아야 되는데 이곳 미국에서 태어난 우리 아이들은 그런 경제관념과는 상관이 없는 듯 했다. 시험을 코앞에 두고 2주 동안 선교를 떠나는 아들을 보며 나는 속이 부글거렸다.

사실 미국이나 한국이나 어디서든지 열심히 사는 사람들은 밤잠을 설치며 돈을 벌고 악착스럽게 자식들 공부도 시키고 뭐든지 물불 안 가리고 하는데 부모가 쌓아놓은 돈으로 편하고 쉽게 자란 사람들은 돈의 개념이 없어서 인생설계 자체에 아예 돈을 빼놓고 봉사다, 희생이다 하며 사는 게 보통이고 난 그게 너무나 싫었다. 힘든 일도 모르고 고생을 모르는 아이로 내 자식을 키우는 게 싫었다. 사실 내 아내에게도 그런 면이 있어서 늘 그게 불만이던 터에 아이들도 크면서 비전만 있고 경제관념 없이 어떻게 되겠지 하는 태도에 나는 화가 치밀었다.

물론 부모가 살기에 바쁘고 돈에만 집착한 나머지 자식들에게 소홀하여 아이들이 탈선하고 가정이 파괴되는 경우는 절대 반대다. 그래서 나는 결혼 후 아내에게 돈을 벌어 오라거나 아이들을 돌볼 틈이 없도록 일을 시키거나 한 적이 없다. 그래서인지 아이들이 반듯하게 자랐고 지금도 그 원칙은 변함이 없다.

아들들에게도 결혼하면 최소한 아내에게 일을 시키지 말고 집에서 아이를 잘 키우도록 해야한다고 가르치고 있다. 그런데 그러기 위해서는 당연히 젊어서 돈을 많이 벌어야 되는 것이고 가장이 든든한 경제기반을 잡아야 하는 게 아닌가 말이다. 그래야 태어나는 아이들이 제때 좋은 환경에서 부모사랑 받고 곧게 자라게 되는 게 아닌가 말이다.

"너의 엄마와 너희들이 다 신앙생활에 너무 깊이 빠져 있는 것이 불만이 많다. 왜들 죽은 후의 삶에 그리도 집착하느냐 현 삶에 충실하며 최선을 다해 살아가야 하는 것이 우선 아니겠니? 그렇게 사는 것을 하나님이 더 기뻐하시지 않겠느냐?"

사실 아이들에게 나의 이런 설교는 나의 철두철미한 삶의 철학이고 신념이다. 그러나 이러한 나의 마음을 아내나 아이들은 이해도 못하거니와 말의 뜻을 알아듣지도 못하니 때론 가족들이 야속하고 때론 버거운 게 사실이다.

둘째 아이는 26살 어린 나이에 꽤 많은 연봉을 받고 근무하며 신앙생활도 잘하고 있다. 큰아이는 생각이 다른 데에 가 있고 열심히 돈 벌어야 될 시기에 늘 교회 일로 귀가시간이 늦어지기 일쑤다.

그러던 어느 날, 그날도 9시가 넘어서야 집으로 들어오는 큰아들을 기다리다 나는 화가 났다. 큰아들을 불러 안방 TV Room으로 오게 했다. 나도 모르게 언성이 높아졌다.

"너 지금이 어느 때인데 그렇게 늦게 들어오니? 공부를 할거야 안 할거야? 그렇게 하기 싫으면 나가. 당장 나가. 이 나쁜 놈아! 부모의 마음을 그렇게도 모르겠니? 다 너를 위해서 하라는 거야." 고함을 치며 삿대질을 하는 내게 아들은 난생 처음 대들며 자기도 소리를 지르고 덤볐다. 자라면서 마음속 깊이 상처를 많이 받았기에 그도 참을 수가 없었던 것이리라 짐작이 갔다.

"What you talking about? Why are you upset and why are you yelling at me?"

나는 아들이 나에게 말대꾸를 하는 것이 더 속이 상했다. 잘못했다고, 다시 안 그러겠다고, 한 마디만 하면 끝날 것을… 나는 격분이 되어 한국말로 더 소리를 높여 야단을 쳤다.

"이런 쌍놈의 새끼, 어디다 말대꾸야. 꺼져. 당장 꺼져." 그런데 갈수록 태산이었다. 아들도 흥분의 도가 말이 아니었다. 아니, 그도 영락없이 제 아비, 나를 닮았다. 갑자기 윗통을 벗어 던지며 소리를 쳐대는 것이었다.

"You want to fight me, come on. Why are you yelling?"

나는 아직 어리고 순진하게만 보아왔던 아들이 아비에게 대들며 윗통을 벗어버리고 얼굴 색이 백지장이 되는 것을 더 이상 참을 수가 없었다. 주먹으로 옆벽을 냅다 꽂았다. 얼마나 수직으로 세게 쳤던지 주먹의 형태 그대로 벽이 아예 뚫려버렸다. 콘크리트 벽이 아니어서 그나마 손은 다치지 않았다.

"너 하는 꼴을 보니 너를 죽일 수 있어. 그러니 지금 당장 나가!" 나는 아들을 밖으로 내몰았다.

순간적으로 벌어진 엄청난 일에 아내는 겁에 질려 아들의 두 손을 잡고 그의 방으로 끌다시피 데리고 들어갔다. 나는 한참동안 분을 못 삭여 고래고래 소리를 지르고 날뛰었다. 엄마 손에 끌려 들어간 아들도 그의 방에서 분을 삭히느라 그런지 계속 울고 있었다. 너무나 서럽게 울어서인지 아들의 그 울음소리는 마치 아들의 절규처럼 내 귀청을 때리며 가슴에 대못으로 박히고 있었다. 모두 저 잘되라고 하는 말이었고 빨리 기반을 잡으라는 말이었는데 저건 이 아비의 마음을 아는지 모르는지 자기의 아픔만 크다고 저러니….

아들의 통곡은 끝없고 난 나대로 아들에게 박힌 대못이 아파 울었다. 자라면서 당한 아들의 아픔과 상처를 모르는 바도 아니고, 아비가 밉고 원망스러울 거라는 것도 다 이해는 되지만, 그렇다고 죄인인 부모는 자식에게 언제나 죄인처럼 할말도 못하고 살아야 하는 건가. 더욱 부모에게 싸우자며 달려드는 저 행동은 뭐란 말인가. 나는 도저히 용서할 수가 없었다. 저 놈은 영락없이 나를 빼 닮았군. 나는 큰아들이 갈수록 나를 닮았다는 생각이 들었다.

그런데 나는 돌연변이일까. 평생 부모님이 다투시는 것을 본 기억도 없고 어머니는 평생 목수 일로 바쁜 아버님 일을 도우시며 말대꾸나 화를 내신 적이 없는 분인데 왜 나는 청소년시기에 방황도 하고, 성격도 거칠고, 모가 졌는지 모를 일이다. 어릴 때부터 싸움실전을 많이 하다보니 담력이 커졌는지 웬만한 일에는 겁도 없고, 일을 해도 커다란 일을 덜컥덜컥 저지르니 오늘까지 아내는 도맡아 나의 사고수습을 위해 본의 아니게 역할분담으로 고통스럽게 살아오지 않았던가. 온순한 사람 만나 응석 부리고 남편 사랑 듬뿍 받고 집일과 가정일만 알고 살 사람인데 평생 폭풍 속에 살았으니…. 오늘도 아내는 놀라고 겁먹은 노란 얼굴로 아들 방으로 내방으로 들락거리며 사고수습에 열심이다.

이번 일은 아들을 집으로 불러들인 게 잘못이었다. 전에 대학을 졸업하고는 곧바로 자기 나름대로 독립을 하겠다며 나가있던 아이를 이번에 부동산 라이센스 취득을 위해 설득하여 집으로 불러 들였는데 불과 석 달 사이에 이런 상상하지도 못했던 일들이 부자간에 벌어진 것이다. 아내가 아들을 진정시키고 불을 끄고 내 방으로 돌아와 이야기를 시작해 찬물 끼얹진 듯 냉랭한 찬 분위기가 일단은 꺼졌다.

"지금 큰아이가 소리는 크지 않지만 엉엉 울고 있어요. 자기를 질책하면서. 자기도 자기 자신에게 놀랐다며 아니, 내가 어떻게 아빠에게 싸우자며 웃옷을 벗을 수 있느냐며, 자기 자신이 밉다며 이불을 뒤집어쓰고 울고 있어요." 아들의 이런 말에 엄마 역시 무어라 위로의 말을 할 수가 없어 불을 끄고 방을 나왔다는 것이다.

"내일 아침에 아빠가 풀릴 거야. 용서해 주실 거야" 하며 나왔다는 것이다.

나는 이런 말을 듣는 순간 가슴속에서 통곡의 폭풍이 일고 있는 걸 알았다. 그러나 억제를 하고 아무 말 안하고 불을 끄고 자리에 누웠다. 잠도 자는 둥 마는 둥 새벽에 일어나 현금 얼마를 봉투에 넣어 간단하게 메모를 썼다.

"After today, I don't want to see you again. Get out and don't come back. "

나는 너를 다시 보고 싶지 않으니 가지고 나가라. 메모를 쓰는 나의 손이 떨리고 있었다. 이렇게 간단한 단 한 줄의 메모를 써서 아들의 방문 밑으로 밀어 넣지만 맘속으로는 수천 수만 마디를 그에게 하고 있었다. 나는 그의 방문을 붙잡고 한참동안 소리도 못 내고 통곡을 했다.

"아들아, 미안하다. 못난 아빠를 용서해라!"

나는 오늘도 일을 나갔다. 일을 하다가도 그냥 눈물이 펑펑 나왔다. 이렇게 보낼 걸 왜 불러들였는지 후회 막심이다. 이미 너무나 커다란 상처를 입었다. 이 상처를 어떻게 치료를 해야 할지 막막하다. 또 다시 눈물이 비오듯 펑펑 쏟아진다.

온종일 일도 제대로 못하고 울다가 오후 4시경에 집이 들어와 뒤뜰에서 연장을 정리하고 있었는데 인기척이 옆에서 나서 쳐다보니 큰아들이 서 있었다.

"아빠, I am sorry." 눈물을 뚝뚝 흘리며 그는 죄인처럼 서 있었다. 어젯밤에 너무 무서운 아빠를 보았기에 선뜻 아빠 가슴에 달려들지도 못하고 아들은 눈물만 흘리며 눈치만 살피고 있었다. 나는 이미 아들이 집을 떠나고 없으리라고 생각하고 집안에는 들어가고 싶지도 않았는데 그 아들이 "아빠 I understand you, I am sorry." 기어 들어가는 소리로 뚝뚝 떨어지는 눈물을 손등으로 훔치며 커다란 등치에 어울리지도 않게 계속 우는 거였다.

나는 왈칵 아들을 끌어안았다.

"You know how much I love you?"

"Jim, I am sorry, I am sorry, 미안해, 미안해, 미안해, 미안해." 등과 얼굴을 어루만지며 나는 한없이 울고 또 울었다. 태어나서 이렇게 서럽고 안타깝고 기쁘게 울어 본적이 없다. 아들도 마음이 놓였는지 내 가슴에 얼굴을 묻고 어린애모양 흐느꼈다. 우리는 말없이 한참을 그렇게 서서 끌어안고 울었다. 나는 그의 등과 얼굴을 만져보았다. 다시는 만져보지 못할 것이라고 생각했기 때문이다.

시간이 조금 흐른 후 꽃밭에 걸터앉아 나는 아들의 때묻지 않은 손을 만져 보았다. 이 손으로 교회에서 기타를 치고, 이 손으로 드럼을 치며, 이 손으로 선교지에 나가서 사람들에게 하나님 말씀을 전하겠지! 나는 아들의 손을 이끌고 안으로 들어갔다. "Jim, it takes time okay. 나는 너를 믿는다."

결국 나는 내가 변해야 모두가 사는구나 하는 것을 처절하게 배웠다. 내가 변하자! 내가 그들에게 맞추자!

결국 큰아들은 아빠의 성화에 부동산 시험에 합격이 되고 6개월 정도 일을 했지만 도저히 못하겠다며 요즘은 주말이면 베트남 교회에 영어담당 전도사로 일을 한다. 그리고 주중에는 티벳에 있는 친구 미국선교사에게 선교비를 보내기 위해 특별 아이디어를 내어 사업을 시작했다한다. 판매량의 십분의 일은 무조건 선교비로 보내고 나머지 이익금으로 사업을 일으키겠다는 것이다.

"그래, 열심히 해봐. 아빠가 큰 도움이 못되어서 미안하다."

"That's OK"

그는 요즘 신바람이 났다. 나는 다시 얻은 아들이라는 기분이다.

작은아들은 엄마를 많이 닮았다. 매주 아빠에게 사랑의 안부 전화를 하며 혹 휴가차 집에 오면 26살 청년이 징그럽게 아빠 뺨에다 키스를 하는 아이다. 올 6월말에는 북한에 2주동안 북방선교를 간다고 들떠 있는 아이다. 지난해에는 아프리카에 다녀왔다.

CISCO에서 3주 동안 휴가를 받는 사람은 많지 않다고 한다. 그것도 스트레이트로 휴가를 받는 사람은 극소수에 불과하다는 것이다. 그러나 상관이 3주 동안이나 기꺼이 허락했다는 것. 평소에 자기 일에 충실하기도 하지만 주말이면 홈리스들을 위해 기타를 치며 찬송을 인도하고 설교도 한다고 하니 그 또한 하나님께 바친 아들이다. 생각해보면 이런 아이들, 이런 아내에게 그 동안 내가 무슨 불만이 겹겹이 쌓여 있었는지 한심하다. 그리고 가정이 편안하면 행복이지 매달 2만불 이상 현찰이 뭐 그리 중요했을까? 나는 어디서 언제 들었는지도 모를 '욕심이 잉태하면 죄를 낳고 죄가 장성하면 사망을 낳는다' 는 성경말씀이 떠올라 씨익 웃음이 났다.

죽었다가 다시 산목숨인데 지금 내게 뭐가 문제란 말인가. 무엇이 부족하단 말인가. 한 단계 낮추고 한 계단 낮추면 될 일을… 왜 그 동안 내게 맞추어 살라고 가족들을 강요했는지 나의 어리석음에 채찍질을 한다. 이제는 그들에게 맞추자고 다짐하고 또 다짐한다. 그리고 이제는 짐을 하나 둘 내려놓자. 짐을 벗자. 마음을 비우자. 어차피 가지고 갈 것도 아닌데…. 늦게나마 조금씩 깨우쳐 가는 것에 나 스스로 놀라고 감사한다.

사실 그 동안 나는 아내의 성경책을 여러 번 쓰레기통에 버린 적이 있었다. 그때마다 아내는 쓰레기통을 뒤져 그걸 다시 들여오는 것을 반복했다. 그 다음은 아예 폐오일에 담갔다가 쓰레기통에 버렸다. 그때도 그걸 또 찾아내 한 장 한 장 걸레로 닦으며 울었다는 아내! 그런 여인이 내 아내다.

그리고 금요일 저녁만 되면 휘파람 소리를 내며 기타를 어깨에 걸쳐 메고 자기가 직접 조립하여 만든 기타음향조절장치 가방을 들고 서서 30살 그 커다란 등치로 아빠 얼굴에 키스를 하고 떠나는 아들, 집에 들어와서는 거수경례를 하며, "How are you sir?" 어리광을 부리는 그런 아들에게 무엇을 더 바랄 것인가.

행복에 겨워 복을 차 버리는 몹쓸 인간에서 벗어나자. 나는 두 아들과 아내를 위해 오늘도 조금씩 나를 버리는 연습을 한다.

부 록

수감자와 그 가족들에게 나누고 싶은 편지

부 록

벌점이 없어야 한다

교도소에서는 뭐니뭐니 해도 벌점이 없어야 풀려나기 쉽다. 나는 내가 잘나고 똑똑해서, 싸움을 잘해서, 운이 좋아서 대형사고를 치고도 이렇게 아무 벌점 없이 무사히 석방되었다고 생각지는 않는다.

첫째로 나이가 적당히 먹었다는 것이 유리했다고 생각한다. 누구보다도 교도소 안의 상황판단과 슬기로운 지혜를 가질 수 있었기에 가능했다고 생각한다. 나는 지금 환갑을 넘긴 나이가 되었지만 지금도 가끔은 악몽 같은 교도소생활 일부분을 꿈을 꾸며 진땀을 흘리고 허우적거리곤 한다. 아마도 나의 일부분 뇌 속엔 그때 충격이 꽉 박혀 있기 때문일 것이다. 아마도 죽을 때까지 이런 악몽을 꾸다가 죽을 것이라는 생각이 든다. 이것 하나만 보아도 교도소를 들락거린다는 게 얼마나 불행한 일인가를 알 수 있는 것이다.

그래도 나는 그때그때 최선을 다해 지혜와 능력을 발휘하고 가족을 생각하며 슬기롭게 대처해왔기 때문에 석방될 수 있었던 것이라 말할 수 있다. 그런 의미에서 내 경험으로는 교도소생활이란 너무 강해도, 또한 너무 약해도, 젊어도, 늙어도, 머리가 너무 좋아도, 나빠도, 돈이 많아도, 없어도, 어렵다는 것이다. 왜냐하면 그곳은 어떤 일이 일어날지 한치 앞을 내다볼 수 없는 곳이기 때문이다. 나같이 중년 나이에도 참기 힘든 일이 자주 일어나는 곳이 그곳인데 혈기 왕성한 젊은이들이 어떻게 참고 슬기롭게 견디어 나가겠는가 하는 것이다.

나는 미국 로컬매스컴에서 한국청년들이 한인타운에서 사고를 치고 활개를 치는 것을 접할 때마다 그들의 앞길이 걱정스럽다. 왜냐하면 코드가 맞는 젊은 몇몇 친구가 어울려 다니면 세상에 무서울 것이 없어 사고를 내기 쉽기 때문이다. 그런데 막상 사고를 치고 교도소에 들어가면 정말 보잘것없는 동양인 한국젊은이, 개밥에 도토리 신세가 되는 것이다. 흑인한테 채이고 멕시칸들에게도 채이는 신세로 전락하고 마는 것이다.

그렇다고 그들 숫자보다 더 많이 한국청년들이 감옥에 들어가 그들의 패권을 꽉 잡아버릴 수도 없는 일이고 특히 젊은 동양인들은 교도소생활에 적응이 잘될 수 없는 체질이라는 것을 알려주고 싶다. 왜냐하면 생활차원에서 그들과 다르기 때문이다. 빈민층 흑인이나 본토인 아니면 이곳 빈민층 멕시칸들의 삶과 한국젊은이들의 생활차원이 다른 것이다.

그런 잠재의식이 깔려 있는 우리 젊은이들이 별 볼일 없이 생각하는 그들과 어울려 지낼 때 과연 그들과 잘 어울릴 수 있겠는가 하는 것이다. 결국 물과 기름같이 겉돌게 되고 그들과 자주 충돌이 생길 수 있는 것이다. 그리고 일단 한번 사고가 나기 시작하면 우리 한인들 성격은 지고는 못 배기는 법, 그러다보면 크게 사고가 발생하고, 사고가 나다보면 교도관에게 적발이 되고, 일단 적발이 되면 벌점이 가산이 되어 평생 따라다니는 것이다. 또한 한창 젊은 나이에 경험부족과 슬기롭게 대처해 나갈 수 있는 능력이 부족하기 때문에 사고가 사고를 부를 수도 있는 것이다.

일단 기록에 벌점이 추가되면 재판과정이나 재판이후 교도소생활에도 막대한 지장이 생기는 것이다. 점점 더 무섭고 살벌하고 험악한 분위기로 전전하게 되면서 자기도 모르게 성격이 흉악하게 되며 나중에는 될대로 되라 자포자기해 버리는 것이다. 즉 작은 범죄로 수감이 되어 평생 교도소에서 생을 마감할 수도 있다는 얘기이다.

우리 젊은 한인들이 이곳을 한국으로 착각하고 한국식으로 깡다구니 한번 왕창 부리고 객기부리며 자해행위를 부리면 인기가 쑥 올라가는 한국식 조직폭력배들 수법은 안 통한다는 것이다. 나도 학창시절에 객기부리며 돌아다녔던 때가 있었는데 모두가 허영일 뿐이다.

옛날이나 지금이나 조폭들이 더 위세를 떨치는 곳이 한국의 현실이다. 아직도 조폭 조직원들이 수십 명씩 몰려와 행패와 구타를 일삼는데 경찰이 손을 못 쓰는 것도 사실이다. 요즘 한국의 조폭이 100만 명이라고 하니 딸린 가족 등등 합하면 300-400만 명이나 된다는 결론이니 조폭의 보스쯤 되면 우상처럼 되는 것도 웃을 일이 아니다. 그러니 한국은 정직한 사람이 오히려 모든 사람에게 왕따를 당하는 세상이 된 것이다.

그런데 미국은 간단히 말해서 경찰에게 잡혔을 때 경찰에게 객기를 부려봐야 아마 쥐도 새도 모르게 반쯤 죽을 것이라는 얘기이다. 감방에서 객기를 부리고 머리 찧고 자해를 해봐야 모두들 눈 하나 깜짝 않하고 'He's stupid' 하며 조롱할 것이다.

이곳에선 젊은이들이 단 한번 갱조직이나 마약이나 노름에 빠지게 되면 십중팔구는 그들의 인생은 파멸이 되고 만다. 혹 가뭄에 콩 나듯 한 두 사람이 갱신의 길을 찾지만 그것은 너무나 힘들 일이다. 나도 내 눈으로 보고 경험한 일이지만 5년여 동안 여러 한국청년이나 사람들을 보았지만 지금까지 본 많은 사람 중에 딱 한 명만이 제대로 정신을 차리고 열심히 공부하며 기술을 배우는 것을 보았을 뿐이다. 그들의 가족관계를 보면 거의 모두들 가족과도 단절한 채 아니, 포기하고 외면한 채 외롭게 교도소생활을 하고 있는 것을 알 수 있다. 그리고 한국에서는 지금도 조직 폭력배들을 알게 모르게 부러워하고 우상시 하는 것은 사실인데 미국은 전혀 다르다. 즉 누구하나 알아주는 사람이 없다는 것을 알아야 한다.

그리고 설사 무관심한 것 같이 가족이 교도소에 있는 사람과 소식을 단절하고 지낸다해도 가족들의 고통은 이루 말할 수 없는 것을 알아야 한다. 나도 아내에게 훗날들은 이야기인데 우리 큰아들이 교회에서 학생예배 때 눈물을 흘리며 간증하는 것을 보았다는 것이다. '지금 나의 아빠는 감옥에 들어가 있고 우리 가족은 어느 때보다 모든 면에서 어렵다. 그러나 나는 하루하루를 그래도 주님께 감사하며 살아가고 있다. 왜냐하면 나에겐 예수님이 있기에 그를 의지하며 믿고 따르면 언젠가는 우리 가정에 행복한 날이 올 것이라 믿는다. 기도를 부탁한다' 고 눈물로 간증을 마쳤다는 것이다.

물론 아들 자랑을 하자는 것은 아니다. 요즘 젊은이들 가치관이 무너질 때, 그들 스스로 그들을 지키기란 무리이니 신앙생활로 스스로를 지키고 신앙으로 가치관을 회복할 때만이 정상을 찾을 수 있을 것이라 믿는다는 말을 하고 싶은 것이다.

몇 년 전 한때 신문에 우리 젊은 백○○군의 구명운동을 열심히 한 기억이 난다. 정말 안타까운 일이다. 내가 누차 말했지만 한국에서는 충분히 있을만한 일이며 당연히 사회에 복귀할 수 있는 기회가 얼마든지 있다. 그때 많은 보통사람들도 호응이 있었던 걸로 알고 있다. 그러나 바로 이것이 미국에서는 불가능하다. 아직 젊었을 때나 아니면 젊은 자녀들이 있는 부모들은 절대 한국식으로 생각하지 말라는 것이다.

예를 들어 5년에서 life형을 받았다. 내가 그 동안 직접 장기수들에게 들은 이야기로는 5년이 지난 후부터는 가석방 심사를 받을 수 있고, 5년이 지난 후부터 1년 내지 2년에 한번 가석방 심사위원 앞에서 심사를 받게 되는데 만약 모범수로 5년 동안 아무 사고 없이 잘 보냈다는 기록이 있으면 석방이 될까 하는 것인데 나의 대답은 'No' 안 된다는 것이다. 한마디로 법적으로는 물론 자격이 있겠지만 사실은 안 된다고 봐야한다. 그 이유는 '너 아무 사고 없이

5년을 보냈는데 무슨 계획이 있어서 그랬느냐? 너 계획적으로 5년을 보냈구나. 사회에 나가 무엇을 할건가? 또 다른 사람을 죽일 것이냐? 복수하려고 5년을 참았느냐?' 이런 식이라는 것이다. 즉 'No' 라고 한다는 것이다.

물론 특별한 예외도 있겠지만 그들이 보는 것은 모범수 생활만 보는 것이 아니라는 것이다. 특히 가족관계를 5년, 10년을 보는데 부모나 형제 아니면 모든 면회과정, 재산관계 등을 참작한다는 것이다. 왜냐하면 이들 범법자가 오랫동안 고립된 생활에서 과연 사회에 적응할 수 있느냐가 관건이 되기 때문이다. 그렇다면 긴 병에 효자 없다고 장기수들에게 과연 몇 명의 가족이 계속 끝까지 관심과 사랑으로 가족관계를 유지해 나가는가 하는 것이다. 물론 마음은 아프고 잊지 못하겠지만 교도소 측에서 인정할 만한 환경이나 여건을 만들어 줄 수는 없다는 얘기이다.

그렇다면 인적관계가 없는 이들이 사회에 나가면 무엇을 하겠는가. 뻔한 일이기 때문에 가석방을 허락하지 않는 것이 첫째 이유라는 것이다. 한 마디로 인간애를 발휘해서 인간적으로 이곳에서 생을 마감하라는 것이니 모두에게 안타까운 일이다.

결론적으로 교도소에 갈 일을 만들지 말아야함이 최선이요, 이미 복역중인 사람은 어찌하든 벌점이 없도록 매사에 신중해야 하는 것이다. 그리고 가족들은 그들이 복역을 마칠 때까지 교도소 안의 험난한 상황을 이해하고 끝까지 격려와 사랑으로 일관해야 한다는 것을 말해 주고 싶다.

부 록

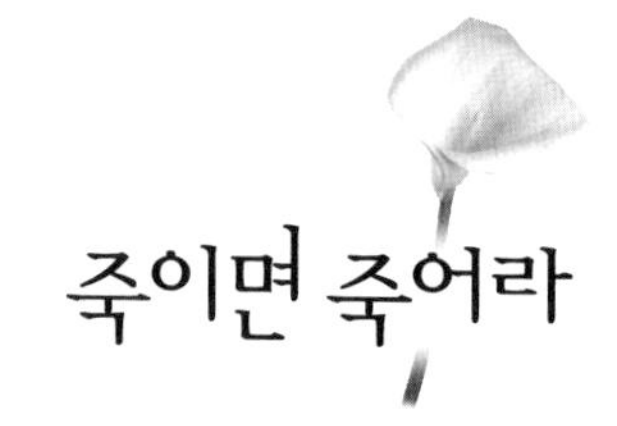

죽이면 죽어라

나의 사고는 총기사고라도 해도 틀린 말은 아니라고 생각한다. 물론 나는 합법적으로 총기를 소지하고 있었지만 합법적이라 한들 과연 이 총기가 신변을 보호하기 위해 꼭 필요했었는가 하는 것이다. 총기가 있었기에 지니게 되고 또한 총을 너무 쉽게 사용하게 된 것이다. 우리 한인들처럼 다혈적인 성격에 총을 지니게 되면 화약을 등에 매고 불길에 뛰어들어가는 것처럼 위험하다.

많은 미국인들이 자기 방어를 위해 총기를 가져야 된다고 생각하고 있지만 그건 잘못된 생각이다. 그건 서부 개척시대에나 맞을 법한 이야기라고 생각한다. 총기 하나로 인해 살인을 하거나 큰 사고가 나면 미국에서는 거의 파산상태가 될 수도 있는 것이다. 그렇다면 자기와 자기에게 딸린 가족에게 너무나 큰 고통과 그들의 장래까지 망치게 되는 것이다.

나는 많은 분들의 도움으로 천만다행히 그나마 집 한 채와 가정을 지킬 수 있었지만 이것은 기적이고 거의 불가능한 일인 것이다. 그렇다면 앞으로 우리는 합법이든 불법이든 총기를 갖지 않는 것이 오히려 살길인 것이다.

오래 전에 일어났던 사건으로 한국의 젊은 친구가 결혼을 하여 미국으로 왔는데 처가식구와 갈등이 생겨 빚어진 사건이 있었다. 그래서 처가식구 두 사람을 죽이고 또 다른 한 사람을 부상을 입혔다. 만약 이 사건을 정식으로 재판을 받았다면 사형언도가 내려지지 않았을까 생각되어진다. 그러나 그 친구는 변호사를 통해 종신형으로 검찰측과 합의를 하여 지금까지 복역중이다. 그 당시 감옥안에서 사람들을 통해 소식을 들으니 한미간에 인도적인 범죄체결이 되면 합의하에 한국으로 나가 남은 형기 또는 평생을 한국감옥에서 보내야되는 것에 모든 기대와 희망을 걸고 있다는 거였다.

또 다른 사건 하나는 의사인데 전처와 후처사이에서 비롯된 사건으로 가정불화가 잦다가 전처 딸에게 소홀히 하며 성폭행까지 했다며 소송을 당한 케이스였다. 재산도 있어 그 의사는 유명변호사를 선임하고 끝까지 무죄를 주장, 배심원 재판을 받았으나 전처 딸들의 눈물 섞인 증언도 있고 또 충분한 자료를 제시하지 못해 종신형인 수십 년의 언도를 받은바 있었다. 결국 그 의사는 교도소에서 목을 매 자살을 함으로 비극의 끝맺음을 한 바 있다.

이 사건도 모르긴 해도 좋은 변호사를 선임하여 적당한 선에서 죄를 인정하고 벌을 받았다면 검찰측에서도 응했을 것이라는 추측을 해본다. 미국검찰이 바보가 아닌 이상 죄 없는 사람을 죄인으로 만들어 교도소에 가두고자 하는 경찰이나 검찰은 없는 것이다. 죄를 인정할 줄 아는 것도 배워야 된다. 그것이 모두가 사는 길이 될 수도 있는 것이다.

요약해서 말하면 '죽이면 죽어라' 이렇게 충고하고 싶다. 그래야 그나마 남은 가족은 살 수 있는 길이 있기 때문이다. 형편이 되면 나와 가족을 위해 보험이나 하나 큰 것으로 능력한도 내에서 들어두면 좋겠고 가장 중요한 건 거듭 말하지만 평소에 총기를 구입할 생각을 하지 말아야 한다는 것, 아무리 위급한 상황이라도 우선 총이 수중에 없어야 한다는 것, 그래야 극단적인 방법을 쉽게 취할 수가 없고 사건을 막을 수 있는 것이다.

나의 경험으로 봐도 단 1초에 너무나 쉽게 살인을 할 수 있었던 것은 바로 총기를 소지했기 때문이다. 사람을 죽여서 과연 나에게 얻는 것이 무엇인가 하는 것을 생각해 봐야하는 것이다. 비통과 후회, 파탄뿐이다. 그렇게 따져볼 때 오히려 누가 혹시 죽이려 들면 차라리 죽을지언정 내가 살고자 상대방을 죽이지는 말라는 말을 하고 싶다. 왜냐하면 바로 그 시간부터 내 인생이 끝장 파산이 되기 때문이다.

나하나 사고로 죽으면 보험으로 그나마 남은 가족은 살아갈 수 있지 않은가. 평상시 항상 그런 마음으로 살아가라는 뜻이다. 그러면 남을 용서하게 되고 자기 자신에게도 반성의 기회가 생기는 것이라고 나는 믿는다.

그러기 위해서 제일 좋은 방법은 역시 악인과 가까이 하지 않는게 상책이다. 이마에 악인이라고 써 붙인 사람이 없듯이 정상적인 생활을 하지 않은 사람은 나도 너도 모두 악인이 될 수 있다는 점을 알아야한다.

결론적으로 말하면 '죽이면 차라리 죽어 주라' 누가 '죽이려 들면 차라리 죽을지언정 총을 빼들지 말라' '가슴 저 밑에서 흐르는 자비로써 나를 죽이려드는 사람을 용서해 주라' 이런 마음을 가지고 살아가기를 바란다. 그 길만이 모두가 사는 길이다.

배심원재판은 피하는 게 상책

어쩌다 사고가 났을 경우 특별한 경우를 제외하고는 배심원재판을 받지 않는 것이 우리 소수민족에겐 유리하다고 본다. 물론 이것은 나의 개인적 생각이다. 나도 배심원재판을 받았다면 십중팔구 2급 살인죄로 최소 5년형에서 종신형을 받게 됐을 것이다. 그러면 아마 지금까지도 감옥에서 나오지 못했을 것이니 판사의 형 언도가 그만큼 무서운 것이다.

배심원재판은 이미 모든 죄상이 드러난 후 변호사 비용도 충분히 있는 사람이 마지막 승부를 거는 심정으로 해볼 일이지만 그렇지 않으면 검찰측과 나의 변호사간에 합의점을 찾아 사건을 마무리 짓는 것이 최선의 좋은 방법이라 생각한다. 선불리 동양인이 재산이 조금 있다고 오기를 부리다간 감방에서 목을 매 자살한 의사처럼 괘심죄에 걸려 폐가망신을 할 수도 있는 것이다.

그러므로 좋은 변호사 선임이 중요하고 그의 말을 전적으로 믿고 따르는 것이 최선의 방법이라는 생각이다.

요즘은 십여 년 전보다 훨씬 교도소생활이 포악하고 위험해졌다. 그만큼 이제는 죄 값을 치르기도 힘이 든 것이다. 죄 한번쯤 짓고 어떻게 되겠지 하는 것은 금물이다. 가정파탄은 기본이고 개죽음을 당할 수도 있는 것이다. 내가 느낀 것은 특히 백인이나 흑인들 중 죄수가 줄어들고 있는데 그 이유는 그들 역시 교도소생활 하기가 점점 힘이 들기 때문이라는 것이다.

전에는 멕시칸, 흑인, 백인, 기타 동양인의 비율로 가던 것이 점점 흑인과 백인이 줄어든 반면 멕시칸과 동양인이 늘어난 것 같다. 나의 경험으로 봐선 우락부락한 것 같아도 흑인들이 순진한 면이 있는 것 같다. 새로 이민 오는 분들이 구체적인 대책이 없어 한인타운에서 맴돌게 되는데 이때 자녀들도 잘 적응하지 못하고 방황하게 된다는 것이다. 그래서 자연히 그들은 코드가 맞는 친구들과 어울려 행동하게 되고 자기도 모르게 범죄소굴로 깊게 빠져들기 십상이라는 것이다.

그래서 가능한 싼 외곽에서부터 가족이 모두 함께 할 수 있는 사업체를 잘 선택하여 가족이 함께 대화하며 동고동락을 하면 좋을 것 같다는 생각이다. 외각 지역은 불량청소년도 많지 않기 때문에 그만큼 자녀들의 탈선비율도 줄어든다는 나의 생각이다.

결론적으로 교도소는 사람으로서 정말로 갈 곳이 아니라는 것, 그리고 피치 못해 교도소를 가게됐다면 우리 한인은 체력도 딸리고 본디 막 사는 민족이 아니기 때문에 그 안에서 견디기 힘들기 그지없지만 거기서 행해지는 온갖 수모와 고통을 벌점 없이 참고 잘 지내라는 것, 그러기 위해서 가족들이 끝까지 힘이 되어주라는 것,

끝으로 좋은 변호사를 선임하는 건 물론, 배심원 재판은 피하라는 것이다.

한없이 못나 살인까지 저지른 내가 생각하기조차 싫고 죽기보다도 싫은 나의 미국교도소 체험담을 비추어 이런저런 조언을 하는 것은 수감자나 그 가족들에게 어떻게든지 실질적인 도움을 주기 위함에서다. 그리고 내 자신 청소년시절을 허랑 방탕하게 지낸 자로서 건방진 말 같지만 나쁜 길에서 멋모르고 방황하는 우리 젊은이들에게 스승이나 부모가 일러주는 교과서적인 훈계가 아닌 실질적 나의 산 경험이 그들에게 깊은 깨우침으로 새 인생을 설계하는데 기여하기를 바라는 마음에서이다.

이 책을 읽는 모든 분들에게 마음의 평화가 있기를 다시 한번 기원한다.